Le français dégringole

Relancer notre politique linguistique

Du même auteur

Avantage à l'anglais ! Dynamique actuelle des langues au Québec, Les Éditions du Renouveau québécois, Montréal, 2008

Indicateurs généraux de vitalité des langues au Québec : comparabilité et tendances 1971-2001, Office québécois de la langue française, Montréal, 2005

Incidence du sous-dénombrement et des changements apportés aux questions de recensement sur l'évolution de la composition linguistique de la population du Québec entre 1991 et 2001, Office québécois de la langue française, Montréal, 2005

Larose n'est pas Larousse. Regards critiques. La Commission des États généraux sur la situation et l'avenir de la langue française au Québec (avec Pierre Dubuc et Jean-Claude Germain), Éditions du Renouveau québécois et Éditions Trois-Pistoles, Montréal et Paroisse Notre-Dame-des-Neiges, 2002

L'assimilation linguistique : mesure et évolution 1971-1986, Conseil de la langue française, Québec, 1994

Charles Castonguay

Le français dégringole

Relancer notre politique linguistique

Les Éditions
du Renouveau québécois

Les Éditions du Renouveau québécois
4270, boul. Saint-Laurent, bureau 204
Montréal, Québec
H2W 1Z4
Téléphone : 514-843-5236
C. élect. : info@lautjournal.info

Conception de la couverture : Olivier Lasser
Montage : Réjean Mc Kinnon

Nous remercions la Fondaton du Prêt d'Honneur de sa contribution financière pour la publication de cet ouvrage.

L'auteur a bénéficié dans ses travaux d'une subvention du Conseil de recherches en sciences humaines du Canada.

ISBN 978-2-9812259-0-0
Dépôt légal : Bibliothèque nationale du Québec, 2010
Dépôt légal : Bibliothèque nationale du Canada, 2010

Préface

J'ai l'honneur de connaître Charles Castonguay depuis de nombreuses années. En fait, depuis ma maîtrise en science politique où j'allais accoucher d'un mémoire dont serait ensuite tiré mon premier livre *L'invention d'une minorité. Les Anglo-Québécois,* paru aux éditions du Boréal.

Au fil des ans, notre fascination mutuelle pour l'état de la langue française, de même que pour l'importance des politiques publiques quant à son destin, ont su alimenter de nombreux échanges jalonnés d'accords et, parfois même, de désaccords...

Ce que je respecte plus que tout chez Charles Castonguay est sa très grande capacité à donner l'« heure juste » sur des questions aussi complexes et devenues malheureusement aussi contentieuses que celles de l'« assimilation » et des « transferts » linguistiques. Autant au Québec qu'au Canada anglais.

En cette ère d'hyperpolitisation de la question linguistique, tout particulièrement au Québec, mais aussi d'un certain jovialisme bien-pensant revenu de tout, il est rassurant de savoir que des chercheurs de la trempe d'un Charles Castonguay veillent encore au grain des « faits ».

Car dans cette matière, comme en d'autres, nous vivons aussi de plus en plus dans le monde du « tout à l'opinion », avec un « O » majuscule, où les impressions et les anecdotes personnelles tiennent trop souvent lieu d'analyse.

Nul doute que nous pataugeons dans ce qui semble être devenu l'incontournable « *MOI, personnellement, je pense que...* »

Or, sur la question linguistique, cette omniprésence de l'« opinion » finit par évacuer des données plus objectives et qui, par conséquent, seraient aptes à mieux informer la population et ses décideurs de l'état réel de la langue française et de son rapport de force avec l'anglais et les autres langues.

Ce tout à l'opinion facilite aussi grandement la tâche à des gouvernements qui, depuis une quinzaine d'années, n'ont eu de cesse de balayer sous le tapis une question pourtant existentielle pour ce coin de la planète. De crainte, bien évidemment, de devoir, un jour, agir à nouveau...

Une exception à ce tableau : en 2002, le gouvernement Landry faisait adopter à l'unanimité le projet de loi 104 interdisant aux parents de se servir du passage onéreux de leur enfant par une école anglaise privée non subventionnée dite « passerelle » pour tenter ensuite d'obtenir du ministère de l'Éducation un certificat d'admissibilité à l'école anglaise subventionnée, publique ou privée.

Cette loi 104 est précisément celle que la Cour suprême allait invalider en octobre 2009 et que le gouvernement Charest, sous le coup du bâillon, allait remplacer en octobre 2010 par la loi 115.

En légalisant dans les faits ces écoles dites passerelles, cette loi, calquée sur le jugement kafkaïen de la Cour suprême, aura réussi à faire du Québec la seule province au Canada où des parents pourront dorénavant « acheter » un droit constitutionnel à leurs enfants. Une décision radicalement honteuse.

Ce « droit », vendu aux plus offrants et transférable à tous les frères, sœurs et futurs descendants, c'est celui de faire éduquer ses enfants dans des écoles anglaises subventionnées suite à un séjour de trois ans dans une école anglaise non subventionnée. Et ce « droit », contrairement à la lettre et l'esprit de la loi 101 depuis 1977, est dorénavant conféré aux parents francophones, allophones et/ou immigrants. Voilà donc où nous en sommes rendus au Québec quant à la préservation de sa langue nationale dite « *commune* ».

À force de cumuler les jugements de tribunaux concoctés sur mesure pour affaiblir à répétition l'aménagement linguistique au Québec, le tout, décuplé depuis 1996 par l'avilissement accéléré de la volonté politique de le protéger, nous voilà bel et bien, tous et toutes, en train de pédaler à pleine vitesse... à reculons...

D'où la nécessité pour les citoyens de tenter, dans la mesure du possible, de mieux s'informer quant à l'état du français. Au Québec comme chez la francophonie canadienne. Question de résister à une hyperpolitisation de cette question faisant qu'il est devenu de plus en plus difficile d'obtenir, tout simplement, cette fameuse « heure juste » quant aux faits.

On ne s'en sort pas. Cette démobilisation que l'on sent actuellement monter au Québec sur ce qui constitue pourtant l'âme de son être et la clé de son avenir, elle s'explique pourtant en partie par une population de moins en moins bien informée et par conséquent, de plus en plus désensibilisée quant aux enjeux collectifs fondamentaux que porte ce qu'on appelle ici la « question linguistique ».

À ce chapitre, rien ne nous éloigne plus des « faits » que cette démagogie ambiante opposant, faussement, l'apprentissage souhaitable de langues secondes et tierces avec la nécessité pourtant évidente de faire ici du français la véritable langue d'intégration et de culture.

En lisant cet ouvrage, vous en ressortirez probablement plus en colère.... parce que, justement, mieux informés.

Car au-delà des opinions, des lunettes irrévocablement roses chez certains et complètement noires chez d'autres, il existe des données, des faits, des tableaux, des analyses.

Charles Castonguay vous les offre ici enrobés de sa très grande expertise.

Expert, chercheur émérite et respecté, le professeur Castonguay est aussi un intellectuel résolument engagé dans les affaires de la Cité, de sa Cité, de votre Cité, de notre Cité. Il est donc inévitable que cela en dérange quelques uns...

C'est que ses mots sont parfois durs. Très durs. Or, ils témoignent surtout de sa détermination à tenter de faire entendre un signal d'alarme auquel plusieurs semblent être devenus sourds.

Comme moi, vous ne serez peut-être pas d'accord avec absolument tout ce que vous lirez dans ces pages. Je vous promets néanmoins ceci.

Vous y trouverez des faits objectifs que vous ne lirez pas ailleurs. Vous y dégagerez des tendances dont on ne vous parle presque jamais sur la place publique. Vous comprendrez mieux ce qui va bien autant que ce qui va moins bien dans le merveilleux monde de notre dynamique linguistique.

Votre réflexion sur cette question en sera amplement nourrie.

Bref, lorsque vous refermerez ce livre, vous en sortirez d'autant mieux outillés lorsque, sur ce sujet, inévitablement, on vous bombardera à nouveau d'opinions, de vagues impressions, d'anecdotes personnelles et parfois même, de désinformation à peine voilée.

Bonne lecture, bonne réflexion et surtout, bonnes discussions !

Josée Legault
Octobre 2010
Politologue et chroniqueure politique
VOIR & *The Gazette*

PARTIE I

LA SITUATION AU QUÉBEC

Chapitre 1

Rapailler la loi 101

U*n Québec aussi français que l'Ontario est anglais* », « *Le français, langue commune de la société québécoise* », les idées claires ne manquaient pas à ceux qui présentaient aux Québécois leur Charte de la langue française.

Qu'en reste-t-il ? Le Canada continue de charcuter la Charte et d'imposer le retour à un Québec bilingue, tandis que ses mercenaires nous embrouillent avec leur vision du Québec à la Trudeau. Le gonflement du nombre d'anglophones au Québec en est un bel exemple. Dès 2004, dans *Les langues au Canada : Recensement de 2001,* Réjean Lachapelle, grand responsable des données linguistiques à Statistique Canada, délirait sur comment les définir.

Par la langue maternelle ? Le Québec compterait alors 8 % d'anglophones. Par la langue d'usage, ce qui inclut les francophones et allophones qui ont choisi de parler l'anglais à la maison? Ça ferait 11 %. Par la « *première langue officielle parlée* », ou PLOP, imbuvable cocktail incluant les allophones qui continuent de parler leur langue maternelle comme langue d'usage à la maison et se déclarent unilingues anglais, ainsi que la moitié de ceux qui se déclarent bilingues anglais-français ?

Ça donnerait 995 000 « anglophones », ou plus exactement « angloPLOPs », soit 13 % de la population. Inclut-on tous les Québécois qui se disent capables de parler anglais ? Ça frise la moitié du Québec. Ajoute-t-on les enfants qui ne parlent pas anglais mais dont un des parents est de langue maternelle anglaise ? Du délire, dis-je.

Bien sûr, plus on joue de la sorte avec les mots, mieux les « anglophones » paraissent s'intégrer à une société québécoise de langue française. Il faut mettre le holà à cette surenchère dès l'étape angloPLOP. En particulier, on doit respecter comme tel un allophone qui se déclare bilingue mais qui, dans l'intimité de son foyer, reste fidèle à sa langue maternelle.

Pas surprenant que les « anglophones » de Jean-Pierre Corbeil, digne successeur de Lachapelle à Statistique Canada, paraissent si proches des francophones. Car dans son *Portrait des minorités de langue officielle au*

Canada : les anglophones au Québec, qui vient de paraître, Jean-Pierre Corbeil confond anglophones authentiques et angloPLOPs, tout en mêlant les résultats du recensement de 2006 à ceux d'une enquête menée dans sa foulée.

Le Devoir n'y a vu que du feu. Entre autres petits bijoux d'intégration, à la sauce Statistique Canada, l'édition du 24 septembre rapporte que « *près de quatre Anglo-Québécois sur dix [...] ont déclaré s'identifier tant au groupe linguistique anglophone qu'au groupe francophone* ». Sous la manchette euphorisante « *Le français, langue de prédilection des anglophones du Québec pour certains services* », le journal précise que Corbeil a ajouté au 8 % de la population de langue maternelle anglaise un autre 5 % formé d'allophones « *qui ont adopté l'anglais [sic] à leur arrivée au Québec* ».

Vous souvient-il de la page de pub à l'endos du *Protégez-vous* de mars 2007 ? « *71 % DES GENS CONSIDÈRENT COMME VRAI TOUT ÉNONCÉ COMPORTANT UNE STATISTIQUE.* LES AUTRES LISENT LE

Devoir, On n'est jamais trop curieux. »
Mon œil !

Statistique Canada n'est pas seul à nous bourrer d'angloPLOPs. Jack Jedwab nous a déjà servi cette concoction dans sa contribution à *L'état du Québec 2010,* intitulée « *Les anglophones du Québec : un* " nous " *à géométrie variable* ». Corbeil n'a pas manqué de lui renvoyer l'ascenseur, dans *Le Devoir* du 24 septembre, en prétendant que mon différend avec Jedwab quant aux écarts de revenu entre anglophones et francophones n'est qu'une question de méthode, alors que j'avais pris Jumping Jack en flagrant délit de mensonge (voir le chapitre 6).

Au-delà de ces manœuvres, Jean-Pierre Corbeil demeure obligé de commenter l'indice de vitalité de l'anglais au Québec. Indice qui se calcule, pour une langue donnée, en divisant son effectif selon la langue d'usage par celui selon la langue maternelle. Un indice supérieur à 1 signifie que la langue en cause profite de l'assimilation. Un indice inférieur à 1 signale qu'elle en pâtit.

Notre figure compare l'évolution des indices de vitalité de l'anglais et du français. De 1,13 en 1971, celui de l'anglais est passé à 1,30 en 2006. Autrement dit, en 2006 le profit de l'anglais réalisé par voie d'assimilation équivaut à 30 % de la population de langue maternelle anglaise.

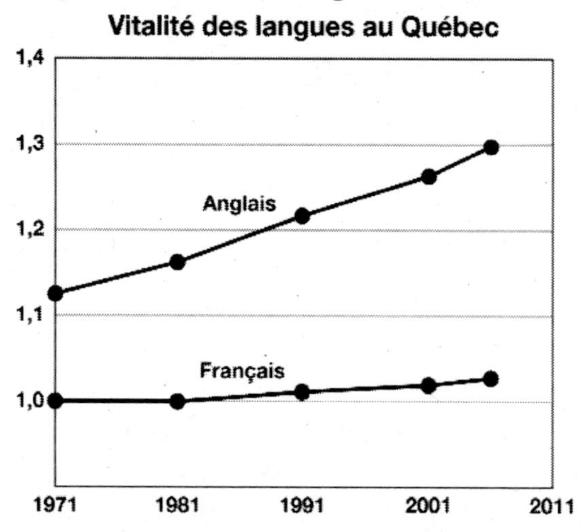

Qu'en dit Corbeil ? « *Cette hausse [...] cache toutefois la décroissance de la population québécoise de langue maternelle anglaise au cours de cette période. Une forte partie de cette hausse de l'indice s'explique en effet [...] par un solde migratoire interprovincial négatif de la population de langue maternelle anglaise.* »

Or, le solde migratoire des francophones et allophones qui se sont anglicisés, langue d'usage, au Québec a été lui aussi négatif, ce qui a réduit la hausse de cet indice. Et l'« exode » anglophone s'est grandement estompé après 1981, alors que l'indice de vitalité de l'anglais s'est accru à un rythme constant jusqu'en 2006 inclusivement (voir notre figure). Du reste, entre 2001 et 2006 la minorité anglophone, loin de se réduire, a fortement augmenté, tandis que l'indice poursuivait allègrement sa croissance.

L'explication de Corbeil est donc nulle. Il nous avait jeté la même poudre aux yeux en 2007, dans *Le portrait linguistique en évolution, Recensement de 2006* : « *L'augmentation de l'effectif anglophone au Québec s'explique essentiellement par le fait que beaucoup moins de personnes de langue maternelle anglaise ont quitté la province entre 2001 et 2006* ». Comment diable une absence d'exode peut-elle constituer la cause première d'une augmentation ?

Dire que ce même Corbeil siège au Comité de suivi de la situation linguistique, à l'Office québécois de la langue française ! Le ver est dans la pomme.

La fécondité n'explique pas non plus

pourquoi, depuis 2001, la minorité anglophone a augmenté sept fois plus vite que la majorité francophone au Québec – et tout aussi vite que la majorité anglophone de l'Ontario. Car durant 2001-2006, la fécondité anglophone n'a été que de 1,44 enfant par femme. Un minimum record. Du jamais vu dans l'histoire du Québec, toutes langues confondues.

De toute évidence, la raison première tant de la survitalité de l'anglais que de sa poussée démographique actuelle, c'est la persistance de son pouvoir d'assimilation démesuré et les enfants anglophones en surnombre qui en découlent.

Pour rétablir la situation, le français doit tirer de l'assimilation un profit proportionné à son poids vis-à-vis de l'anglais. Leurs indices de vitalité seraient alors égaux. Notre figure montre, cependant, que l'indice du français, de 1,00 en 1971, est passé péniblement à 1,03 en 2006. Loin de s'estomper, l'écart entre l'indice de l'anglais et celui du français se creuse.

Au français, langue commune, qui se trouve au cœur de la *Charte de la langue française,* la Cour suprême du

Canada a opposé la nette prédominance du français. Cela nous a conduits à un Québec bilingue nouveau genre où la nette prédominance est, en réalité, celle de l'anglais.

Il faut rapailler la Charte.

À ce chapitre, le Parti québécois propose... la nette prédominance du français ! C'est le titre qui coiffe la section de sa *Proposition principale* portant sur la langue, qui se poursuit ainsi : « *Juridiquement soumis à la Loi constitutionnelle de 1982 qui lui a été imposée et qu'il n'a pas signée, le Québec peine à résister à la force de l'anglais et à imposer la nette prédominance du français* ». Puis il est question de « *redonner à la nouvelle Charte sa cohérence* », de la « *rendre plus claire* ».

Le ver est dans la pomme. Et il est rendu plus loin qu'on ne le pense.

Quelle clarté ? Quelle cohérence ? Celles des 10 pontifes du monde selon Trudeau, dont le concept de nette prédominance s'apprête à toutes les sauces, chacune incompatible avec celui du français, langue commune ? Celles des analystes de Statistique Canada, qui minimisent l'incidence au Québec du pouvoir d'assimilation de l'anglais dans le contexte nord-américain ?

Les auteurs de cette partie de la Proposition du PQ ne semblent pas se rendre compte à quel point ils ont intériorisé une idéologie néfaste au français, celle d'une forme de bilinguisme institutionnel. Ce n'est pas ainsi qu'on redonnera au français l'élan qu'il a reçu en 1977. En consacrant la présence de deux langues communes, la nette prédominance du français mène, en fin de compte, à la nette prédominance de l'anglais.

Comme principe premier de la Charte, la nette prédominance est un leurre. Il faut remettre l'anglais à sa place. Et le français aussi. À sa place de langue commune du Québec.

l'aut'journal, n° 294,
novembre 2010

Chapitre 2

La langue n’est pas à l’abri de la partisanerie

C'est reparti, mon kiki ! Appel de candidatures pour le poste de directeur de la recherche à l'Office québécois de la langue française (OQLF). Parmi les attributions de l'heureux élu : coordonner le suivi de la situation linguistique, assurer la qualité scientifique des recherches, participer à leur diffusion.

Bonne chance ! Avec une France Boucher à la barre de l'OQLF, le résultat sera un bilan aussi nul que celui de l'année dernière.

Guy Rocher avait prévu un semblable fiasco dès le dépôt en 2002 du projet de loi 104 de la ministre Diane Lemieux, qui créait l'OQLF d'aujourd'hui. Un organisme hybride, juge et partie, c'est-à-dire chargé à la fois d'appliquer la loi 101 et de juger de son application, en s'appuyant peut-être sur le Comité de suivi de la situation linguistique dont j'ai fait partie pendant cinq longues années.

M. Rocher estimait que ce comité n'aurait pas l'indépendance nécessaire pour remplir sa fonction et que la loi 104 politiserait davantage tant l'application de la loi 101 que la recherche sur la situation linguistique. « *L'œil et le bras du ministre se trouveront [...] en permanence au cœur du nouvel office* », écrivait-il dans *Le Devoir* du 15 mai 2002, en déplorant que l'on n'ait pas retenu l'idée de « *dépolitiser la direction de l'Office de la langue française en faisant nommer par l'Assemblée nationale [plutôt que par le parti au pouvoir] la personne chargée de diriger cet organisme* ».

Plusieurs mémoires présentés en 2001 à la Commission Larose proposaient d'assainir de la sorte la nomination du président de l'OQLF ou du Conseil de la langue française (CLF). Gérald Larose et Diane Lemieux n'étaient cependant pas les premiers à faire la sourde oreille à cette revendication. En 1996, déjà, la ministre Louise Beaudoin avait déposé le projet de loi 40 modifiant la loi 101. Dans le cadre de la consultation tenue à ce sujet, j'ai présenté un mémoire dans lequel je critiquais et le portrait de la situation qu'avaient brossé le Conseil et l'Office, et les mesures qui s'en inspiraient. J'y écrivais : « *Que l'appareil gouvernemental accouche d'un bilan de la situation à ce point incompétent, léger et partial entache pénible-*

ment sa crédibilité. Cela fait valoir l'urgence de redéfinir, par exemple, le Conseil de la langue française de façon à le mettre à l'abri des nominations partisanes. » Mme Beaudoin n'en a rien fait.

Le gouvernement du Parti québécois venait de nommer Mme Nadia Assimopoulos, vice-présidente sortante du parti, à la présidence du CLF en remplacement de M. Pierre-Étienne Laporte qui, lui, était passé de son poste de président du CLF à celui de député libéral d'Outremont. Ôte-toi que je m'y mette ! Pierre Georgeault, directeur de la recherche au Conseil, m'avait ensuite laissé savoir que Mme Assimopoulos n'aimait pas que l'on critique le CLF en public. Mot d'ordre que je me suis empressé de ne pas suivre.

Lorsqu'on m'a invité plusieurs années plus tard, soit en 2003, à siéger au Comité de suivi, à l'OQLF, j'ai demandé au directeur de la recherche, Pierre Bouchard, s'il voulait vraiment de moi, vu mon franc parler. Durant les cinq années suivantes, nous avons tous, les quatre membres externes du comité, respecté notre « devoir de réserve ». La tension n'a pas tardé cependant à se faire sentir.

L'incompatibilité que Rocher appréhendait entre les fonctions application de la loi et jugement quant à son application a atteint un point tournant quand l'OQLF a réagi à une série d'articles dans le *Journal de Montréal* faisant état d'un recul du français dans les commerces du centre-ville. Son communiqué du 20 juin 2006 comprenait une description faussée de l'état des lieux qui m'a conduit à écrire à mes collègues, y compris Pierre Bouchard : « *Une pareille distorsion systématique de l'information sur la situation du français est regrettable, et dommageable pour la crédibilité de l'Office. Le serait-elle aussi pour la crédibilité de notre comité ?* » L'écart entre nos efforts pour établir un suivi scientifique de la situation linguistique et ceux de l'Office pour rassurer quant à l'application de la loi était devenu patent.

L'Office et la ministre Christine St-Pierre ont persisté dans la négation, tandis que le *Journal de Montréal* enchaînait avec deux remarquables enquêtes de la journaliste Noée

Murchison démontrant qu'une jeune unilingue anglaise réussissait mieux qu'une unilingue française à dénicher un emploi dans les commerces du centre-ville. En même temps, France Boucher écartait le Comité de suivi de la préparation de son rapport. Tant pis pour la crédibilité de l'OQLF. On connaît la suite.

La tare des nominations partisanes a ainsi mené, aux six ans, à des rapports serviles et des interventions superficielles : bilan euphorisant et « *bouquet de mesures* » de la ministre Beaudoin en 1996; rapport Larose et loi 104 de la ministre Lemieux en 2002 et, en 2008, bilan bidon de France Boucher et *love-in* gouvernemental-patronal-syndical autour des mesures incitatives de la ministre St-Pierre en guise de francisation de la langue de travail.

Rocher avait donc profondément raison. Pauline Marois saisira-t-elle l'intérêt de dépolitiser enfin l'Office et le Conseil ? Un sondage réalisé au cours de la dernière campagne électorale identifiait la question linguistique comme seul domaine où les électeurs faisaient davantage confiance à Mme

Marois qu'à M. Charest. Marois n'a pourtant pas pipé mot sur la langue au débat des chefs alors que Charest s'était rendu éminemment vulnérable; il avait perdu toute crédibilité en matière de défense du français en maintenant « *Mam* » Boucher à la tête de l'OQLF.

Misère ! En attendant encore et toujours la réforme qui s'impose, on ne peut que continuer d'accueillir d'un œil critique les informations sur la langue que distillent nos instances linguistiques actuelles.

Voyons cette fois du côté du Conseil supérieur de la langue française (CSLF). Devant le tollé soulevé par le non-bilan de l'OQLF en mars dernier, le président du CSLF (« *s* » pour supérieur, selon la loi 104), M. Conrad Ouellon, a vite proclamé que le Conseil saurait, lui, porter un jugement sur la situation et formuler les recommandations qui s'imposent.

Le 26 juin dernier, le CSLF publiait son avis, en même temps qu'une étude à l'appui signée par son chercheur principal, Paul Béland, intitulée *Langue et immigration, langue de travail : éléments d'analyse.* Se fondant sur une recherche de l'OQLF, Béland signale que « *le français n'est pas la langue dominante des échanges interlinguistiques* » des travailleurs francophones lorsqu'ils communiquent avec leurs collègues, supérieurs ou subordonnés anglophones.

Il fait ensuite entrer en ligne de compte les données sur la langue des communications publiques provenant d'une enquête menée en 2006 par Statistique Canada, pour terminer son étude sur un jugement global plus éloquent encore : « *En somme, la politique linguistique [...] a pu créer un environnement dans lequel les immigrants d'influence latine [ou francotropes] ont été en mesure de concrétiser leur prédisposition à s'orienter vers le français tant dans le domaine privé que dans le domaine public. Elle a aussi permis aux francophones de travailler le plus souvent en français. Par contre, le français n'est pas la langue prédominante des communications interlinguistiques. Par ailleurs, à la lumière des données présentées, il ne semble pas que la Charte soit très contraignante, puisque chacun utilise le plus souvent la langue qui correspond à ses pré-*

dispositions : les francophones et les immigrants d'influence latine, le français; les anglophones et les immigrants d'influence autre [ou anglotropes], l'anglais. »

Néanmoins, à l'instar du bilan de boutique de l'OQLF, la synthèse de la situation que le CSLF retient dans son avis passe sous silence le fait, pourtant bien souligné par Béland, que le français n'est pas la langue commune de travail dans les grandes entreprises. Comme l'OQLF aussi, le CSLF ne met pas non plus en évidence l'hypertrophie du cégep anglais qu'entretient le libre choix. La synthèse promise par Conrad Ouellon ne relève même pas la chute subite du poids des francophones au recensement de 2006 ! Pas étonnant que dans le but de relancer la francisation, l'avis du CSLF s'en tienne par la suite à ne recommander que des mesures incitatives.

Comment voulez-vous, en effet, que la majorité francophone envisage d'adopter des dispositions plus contraignantes si l'on persiste à lui dérober les raisons probantes pour ce faire ? Au Conseil comme à l'Office, le jeu politique continue, hélas, d'avoir préséance sur le devoir de fournir à la population un bilan et un plan d'action adéquats.

l'aut'journal, n° 277,
mars 2009

Chapitre 3

Avenir du français : un problème de statut et non de démographie

Le recensement du Canada n'a d'abord tenu compte que de l'origine ethnique et de la langue maternelle de la population. Cela suffisait pour suivre l'assimilation des grandes vagues d'immigrants du début du XXe siècle, d'origine autre que britannique et française. Après le recensement de 1941, W. Burton Hurd, OBE, spécialiste de la question au Bureau fédéral de la statistique, peut ainsi constater que grâce à l'arrêt de l'immigration pendant la crise des années 1930 et à la scolarisation dans les écoles canadiennes des générations nées au pays, « *l'assimilation [...] a progressé avec une rapidité extraordinaire [...] les ingrédients de notre creuset racial [*racial melting pot*] fusionnent beaucoup plus rapidement que ne le donnait à attendre l'étude des données de 1921 ou de 1931* » (c'est nous qui traduisons).

Les recensements suivants indiquent aussi que l'assimilation des Canadiens d'origine française s'accentue également. La Commission Laurendeau-Dunton en parle avec le même naturel. Le recensement de 1961 lui donne à voir un Canada à

44 % britannique, 30 % français et 26 % d'autres origines mais à 58 % anglophone, 28 % francophone et 14 % allophone selon la langue maternelle. La Commission observe aussi que la résistance des Canadiens français à l'anglicisation varie en fait selon leur poids démographique. Seuls ceux du Québec, fortement majoritaires, paraissaient à l'abri.

Les commissaires auraient bien voulu pouvoir vérifier la vitalité des langues de façon plus actuelle. Ils ont proposé à cette fin qu'on note en outre la langue que chaque Canadien parle le plus souvent à la maison. La langue d'usage au foyer est donc recueillie à partir du recensement de 1971. Ce qui m'a permis dès mes premières recherches d'ajouter que l'anglicisation rognait aussi la majorité francophone dans les régions du Québec où son poids était inférieur à 90 %.

Mes observations n'ont pas plu au camp fédéraliste. On y voyait un argument en faveur de l'indépendance du Québec. En 1983, le démographe Jacques Henripin me traite dans *La Presse* de docteur Knock, personnage de théâtre qui multiplie à son profit les diagnostics alarmants. Au même moment, William Johnson, chroniqueur au *Globe and Mail,* qualifie mes travaux de « *highly biased political tracts masquerading as scholarly analyses* » (pamphlets partisans déguisés en analyses savantes).

On use ainsi volontiers de propos diffamatoires pour contrôler l'information sur la langue. Au lieu de la faiblesse du français en matière d'assimilation, les fédéralistes ont imposé l'« *exode* » des Anglo-Québécois comme facteur décisif dans l'évolution de la situation linguistique, culpabilisant au passage la majorité francophone de pousser les anglophones à la porte avec sa loi 101. Ils ont ensuite monté en épingle la réaction de Jacques Parizeau au référendum de 1995 pour chauffer à blanc la rectitude politique et l'autocensure. La crainte de parler d'assimilation a triomphé. D'abord au Conseil de la langue française. Puis à la Commission Larose. Et encore, à la Commission Bouchard-Taylor.

On n'en est toujours pas revenu. Dans *L'Action nationale* de novembre-décembre 2008, Henri Laberge le martèle en long et en large : « *Le respect des minorités [...] implique que l'État n'a rien à voir dans la chambre à coucher des gens [...] pour surveiller quelle langue on y parle. Le respect des minorités, c'est de cesser de les présenter comme une menace à la majorité. C'est cesser de les culpabiliser d'être là [...] C'est surtout refuser d'attribuer comme objectif à la politique linguistique [...] de modifier ou de maintenir artificiellement un quelconque équilibre démographique arbitrairement défini comme idéal.* »

Basta ! En toute objectivité, la langue de la minorité anglophone menace celle de la majorité. Pourrait-on alors cesser, aussi, de culpabiliser la majorité de vouloir conserver au français l'avantage du nombre dans sa compétition avec l'anglais sur le plan de l'assimilation ?

Le dernier recensement nous rappelle que pour l'essentiel, la dynamique à cet égard n'a pas changé. Dans la région de Montréal, à 66 % francophone et 12 % anglophone (langue maternelle), l'assimilation se solde en 2006 par 177 613 locuteurs additionnels de l'anglais comme langue d'usage à la maison, comparativement à 123 648 pour le français. Dans la région de Gatineau, à 79 % francophone et 13 % anglophone, elle produit 6 640 locuteurs usuels supplémentaires de l'anglais au foyer contre 2 145 pour le français.

Le français ne domine que dans le reste du Québec, à 94 % francophone et 3 % anglophone, avec 42 515 locuteurs additionnels comparativement à un déficit de 3 532 pour l'anglais. Comme en 1971, donc, le français ne l'emporte que là où les francophones jouissent d'une majorité écrasante.

Pour assurer l'avenir du français, il n'est cependant pas nécessaire de soutenir le poids des francophones à tout prix. Par exemple, en réduisant l'immigration à zéro. Au fond, sélectionner des immigrants francisés d'avance, à l'étranger, ne règle rien non plus : rendus ici, ils se heurtent à l'obligation de connaître l'anglais pour trouver un emploi.

Non, la solution n'est pas démographique. On n'y coupera pas : il faut vaincre la peur du qu'en-dira-t-on et relever le statut du français pour qu'il prenne la place qui lui revient comme langue d'assimilation. En tout premier lieu, en francisant fermement la langue de travail.

Cela fonctionne à merveille pour l'anglais. Nul besoin de constituer 80 ou 90 % de la population. Comme le modèle américain, le *melting pot* canadien carbure au statut social et économique de la langue dominante. Au recensement de 1991, avant qu'Ottawa ne sabote l'information sur l'origine ethnique, cela donnait un Canada à 38 % britannique, 27 % français et 35 % d'autres origines mais à 68 % anglophone, 23 % francophone et 8 % allophone selon la langue d'usage. Et depuis 1991, les immigrants affluent toujours, sans que personne ne s'en inquiète. Le pouvoir d'assimilation de l'anglais assure son avenir.

Les bras me tombent, par conséquent, en lisant la dernière étude du démographe Marc Termote, intitulée *Nouvelles perspectives démolinguistiques du Québec 2001-2051* (OQLF, 2008). Non parce qu'il prévoit que le poids des francophones diminuera, ce qui paraît inéluctable. Mais parce qu'il conclut en même temps que l'assimilation « *n'exerce qu'un effet marginal sur l'évolution démolinguistique d'une société* » et que « *ce n'est pas en agissant sur le volet* “ mobilité linguistique ” *[c'est-à-dire sur l'assimilation] que l'on pourra assurer la pérennité du français au Québec* ».

Ça démobilise bien raide. Faut-il se résigner à s'effacer tout bêtement, à petit feu, pendant que l'assimilation assure la pérennité de seul l'anglais au Canada ?

Voyons toutefois comment il en arrive là. Termote avoue que son hypothèse prévisionnelle de base en matière d'assimilation est « *fortement biaisée en faveur du français* ». Il suppose, par exemple, que l'assimilation des nouveaux arrivants allophones se soldera par 5 francisés pour 1 anglicisé. C'est rêver en couleurs ! À ce compte, pas surprenant qu'il trouve que l'assimilation n'exerce qu'un effet marginal sur le poids des francophones.

Quant aux allophones nés au Québec, Termote suppose que leur assimilation se soldera par 2 francisés pour 1 anglicisé. Par comparaison, cela représente un ratio plus favorable à l'anglais que celui qu'il prévoit pour les immigrés. Mais il suppose en outre que seulement 27 % d'entre eux s'assimileront au cours de leur vie, ce qui n'a aucun sens : les allophones nés au Québec s'assimilent à 85 %.

En somme, l'hypothèse de référence de Termote fausse l'assimilation en faveur du français aussi bien qu'au détriment de l'anglais. Il reconnaît que, par conséquent, ses résultats tendent « *à surestimer l'effectif et le poids démographique du groupe francophone* ». Autrement dit, le déclin qu'il annonce serait plus inquiétant encore pour la majorité s'il attribuait au français et à l'anglais un pouvoir d'assimilation vraisemblable.

L'ancienne présidente de l'Office québécois de la langue française, Mme Nicole René, a déjà traité le professeur Termote de « *dépressif* ». Quelle épithète de derrière les fagots la présidente actuelle de l'OQLF, « *Mam* » Boucher, lui réservait-elle s'il n'avait pas suffisamment faussé ses prévisions en faveur du français ? Termote se félicite d'avoir évité, de la sorte, de se faire accuser de noircir la situation du français. Regrettable autocensure. La menace de l'opprobre a semé jusque dans le sanctuaire scientifique la crainte de traiter d'assimilation sans biaiser.

Dans sa préface à l'étude de Termote, Jacques Maurais, alors directeur de la recherche à l'OQLF, nous mène en bateau : « *les décideurs veulent [...] connaître les scénarios les plus plausibles de l'évolution de la situation présente. Cette étude décrit donc un certain nombre de scénarios élaborés à partir d'hypothèses plausibles sur la mortalité, la fécondité, la migration interne, l'immigration internationale et la mobilité linguistique [c'est-à-dire l'assimilation].* »

Non, Monsieur. Cette étude embellit la situation du français vis-à-vis de l'anglais. Point.

l'aut'journal, n° 279,
mai 2009

Chapitre 4

La dégringolade du français en 2006

Devenu davantage une entreprise qui vend des données qu'un service public, Statistique Canada cultive la confiance du consommateur dans ses produits. Peu de gens sont conscients que ses données de recensement ne sont pas solides comme du roc.

Un jour, j'expliquais à mon ami Michel Paillé, alors démographe à l'Office québécois de la langue française (OQLF), comment des changements apportés au questionnaire avaient modifié l'ampleur et l'orientation de l'assimilation linguistique au recensement de 1991 et, encore, à celui de 2001. « *Ne leur dis pas ça !* m'a-t-il enjoint. *Ils ne croiront plus nos chiffres !* » La réaction de son directeur à l'OQLF, M. Pierre Bouchard, fut tout aussi édifiante : « *C'est compliqué* », a-t-il trouvé à dire. Aussi vaut-il mieux soi-même se forcer un peu les méninges si l'on veut distinguer la part du réel et de l'artificiel dans le mouvement des données d'un recensement à l'autre.

Le sous-dénombrement, c'est-à-dire l'estimation du nombre de personnes qui n'ont pas été énumérées à l'occasion d'un recensement, peut, aussi bien qu'une modification du questionnaire, influer de manière importante sur la tendance des chiffres. Michel Paillé n'ayant pas su ou voulu faire le travail, il a fallu que j'établisse pour l'Office comment la baisse inattendue du poids des allophones à Montréal en 2001 de même que la hausse, tout aussi inattendue, du poids des francophones s'expliquaient par le nombre exceptionnellement élevé d'allophones que ce recensement n'avait pas énumérés. Très simple, au fond, la méthode de rectification des données se trouve dans mon étude intitulée *Incidence du sous-dénombrement et des changements apportés au questionnaire de recensement sur l'évolution de la composition linguistique de la population du Québec entre 1991 et 2001,* publiée par l'OQLF en 2005.

À l'aide de données administratives et d'enquête, Statistique Canada estime en effet après chaque recensement quelle partie de la population canadienne n'a pas été recensée. Ottawa corrige ensuite les données initiales en fonction de cette estimation, du moins en ce qui concerne la population de chaque province, pour déterminer ses paiements de péréquation. Ce n'est que bon sens. Au même titre que les gens recensés, les non-recensés font eux aussi appel aux services des gouvernements provinciaux.

Il convient, en somme, de considérer les premiers chiffres de population suivant un recensement comme provisoires. Ma dernière recommandation à l'OQLF, avant d'être remercié comme membre de son comité de suivi, fut de ne pas tenter, dans le bilan de la situation que préparaient « *Mam* » Boucher et Pierre Bouchard, d'analyser à chaud les premières données de 2006 que Statistique Canada avait commencé à diffuser.

Peine encore perdue. Boucher et Bouchard y ont foncé tête baissée. Comme de raison, ils se sont gourés.

Pourtant, les premiers résultats de 2006 invitaient manifestement à la prudence. Ils font voir une reprise de la croissance de la population totale du Québec au lieu du ralentissement attendu. Le bilan Boucher-Bouchard rapporte par conséquent pour celle de langue maternelle française un taux de croissance de 1,1 % durant la période 1996-2001 mais de 2,0 % pour 2001-2006. Comme c'est rassurant !

Balivernes. Connues depuis l'automne dernier, les estimations du sous-dénombrement, qui distinguent la langue maternelle des personnes non énumérées, indiquent que le recensement n'a manqué que quelque 12 000 francophones au Québec en 2006, comparativement à 86 000 en 2001. Les données initiales de Statistique Canada véhiculées dans le bilan Boucher-Bouchard ont beau faire croire, donc, à une augmentation de 115 000 francophones pour 2001-2006, la majeure partie de cette augmentation, soit environ 74 000 personnes, provient simplement d'une énumération plus complète de la population francophone en 2006. Ce qui veut dire que l'augmentation réelle serait plutôt de l'ordre de 41 000. Pour une population de près de six millions de francophones, cela fait une croissance de seulement 0,7 %. Comme prévu, on s'approche d'une croissance nulle.

Pas vraiment quelque chose sur quoi le gouvernement Charest voudrait attirer notre attention. Mais il fallait bien que le chat finisse par sortir du sac.

Telles quelles, les données initiales de 2006 ont néanmoins suscité de l'émotion. Partout le poids de la majorité de langue maternelle française glissait sous des seuils psychologiques : à 79,6 %, il passait en dessous de 80 % de la population du Québec; à 65,7 %, il passait sous les deux tiers dans la région métropolitaine de Montréal et à 49,8 %, tout juste sous le seuil de 50 % dans l'île.

Tenez bien vos tuques ! Une fois les données ajustées pour tenir compte du sous-dénombrement, le poids des francophones plonge à 79,1 % dans l'ensemble du Québec, à 65,0 % dans la région de Montréal et à 49,0 % dans l'île de Montréal.

« *Ça va bien cependant du point de vue de la langue d'usage* », serineront nos amis fédéralistes. Détrompez-vous. Le tableau ci-dessous présente la croissance comparée des populations de langue d'usage française et anglaise corrigée en fonction du sous-dénombrement, à la façon de mon étude de 2005. Partout, la population de langue d'usage anglaise augmente beaucoup plus rapidement que celle de langue française. Si bien qu'entre 2001 et

2006, le poids de la minorité de langue d'usage anglaise a progressé de 0,3 point au Québec, de 0,4 dans la région de Montréal et de 0,5 dans l'île de Montréal alors que le poids de la majorité de langue française y a reculé respectivement de 1,3, de 1,9 et de 2,3 points. Est-ce assez clair à qui profite l'attentisme lamentable de nos leaders politiques ?

Langue d'usage au foyer				
	2001	2006	Croissance	Taux
Québec				
Anglais	765 100	808 700	43 600	5,7 %
Français	6 012 000	6 103 700	91 700	1,5 %
Région de Montréal				
Anglais	603 700	642 500	38 800	6,4 %
Français	2 453 800	2 490 700	36 900	1,5 %
Île de Montréal				
Anglais	456 600	471 300	14 700	3,2 %
Français	1 024 100	994 300	-29 800	-2,9 %

Au chapitre précédent, nous avons vu comment, pour arriver à ses prévisions linguistiques publiées par l'OQLF, le démographe Marc Termote a faussé l'assimilation en faveur du français et au détriment de l'anglais.

Ce n'est pas surprenant, donc, que même selon les données initiales de 2006, le recul du poids des francophones (langue d'usage) est un peu plus marqué que celui que Termote avait prévu. Ni que les mêmes données font voir une hausse du poids des anglophones tandis que Termote avait prévu une baisse.

Évidemment, ses prévisions sont encore plus ratées au regard des données ajustées en fonction du sous-dénombrement. En particulier, Termote a sous-estimé le poids de l'anglais en 2006 de 0,4 point de pourcentage au Québec, de 1,0 point dans la région de Montréal et de 1,3 point dans l'île. À ce compte, que valent ses prévisions pour 2026 ?

Les faibles pertes migratoires de la population anglophone du Québec au profit du reste du Canada durant la période 2001-2006 n'expliquent pas cet écart. Car au moment de réaliser son étude, Termote disposait des estimations annuelles de la migration interprovinciale pour 2001 à 2005, et les avait intégrées dans ses prévisions pour 2006. Son erreur serait plutôt liée, entre autres, à sa sous-estimation de la supériorité de l'anglais sur le français comme langue d'assimilation.

Au grand dam des Henripin, Jedwab et Veltman de ce monde, l'évaporation de l'« exode » anglophone a en fait révélé au grand jour l'impact de la supériorité persistante de l'anglais sur le français en matière d'assimilation. Plus nombreux par le passé, les départs anglophones masquaient cette réalité et, par défaut, le français gagnait du poids vis-à-vis de l'anglais. Le recul radical du français face à l'anglais en 2006 met en évidence la nécessité de soustraire la prédominance du français de sa dépendance envers le solde migratoire interprovincial.

Nous revoilà dans le vif du sujet. Devant le flot de nouveaux arrivants allophones, la baisse du poids des francophones est inévitable. Le problème n'est pas là. Le problème, c'est que le statut actuel du français ne lui confère pas un pouvoir d'assimilation proportionné à son importance démographique par rapport à l'anglais. La dégringolade 2001-2006 l'a confirmé on ne peut plus clairement. En raison du déséquilibre dans l'assimilation des allophones, le français voit maintenant fondre son avantage numérique sur l'anglais, notamment dans la région et l'île de Montréal.

Rien pour aider le français à attirer, demain, sa quote-part d'allophones. Ce qui inquiète en effet dans cette optique, ce n'est pas que le français passe sous un seuil donné mais que l'anglais gagne en même temps en importance.

Pas la peine d'attendre un autre bilan bâclé de l'OQLF. Ni d'énièmes prévisions démographiques. Il faut agir.

l'aut'journal, n° 280,
juin 2009

Chapitre 5

Les vases communicants

Son récent livre, *Sorry, I don't speak French,* a valu à Graham Fraser le poste de Commissaire aux langues officielles du Canada. Il a beau avoir vécu longtemps au Québec, son livre m'a déçu. Fraser entend bien le français mais il n'entend pas le Québec.

Fraser a écrit ce livre pour les Canadiens anglais, dans le but de raviver leur intérêt pour la politique linguistique canadienne et l'apprentissage du français. À ses yeux, ces éléments demeurent d'une importance cruciale pour l'unité canadienne. À mes yeux, ils répondent bien mal aux aspirations du Québec d'aujourd'hui, davantage préoccupé par les ratés du français à Montréal.

Fraser raconte d'ailleurs n'importe quoi au sujet de la situation québécoise. Par exemple, il laisse entendre que c'est la politique linguistique fédérale qui a entraîné la résorption des écarts de revenu entre travailleurs anglophones et francophones au Québec. Nenni. C'est avant tout la migration d'Anglo-Québécois à fort revenu vers l'Ontario et les autres provinces qui explique la disparition de ces écarts.

Graham Fraser n'est pas seul à détourner ce simple fait à des fins de propagande. Dans son avis de juin 2008, le Conseil de la langue française attribue encore la disparition des écarts de revenu à la loi 101. À chacun sa pensée magique. Ces écarts se sont réduits pour l'essentiel au cours des années 1970. La loi 101 n'a pu y jouer davantage qu'un rôle secondaire, n'ayant été en vigueur que durant le dernier quart de cette décennie.

Dans l'étude *Évolution du salaire moyen des hommes de langue maternelle française ou anglaise au Québec et au Nouveau-Brunswick,* publiée à l'automne 2008 par l'Office québécois de la langue française, Nicolas Béland explique de même la disparition des écarts en cause par un mystifiant « *renversement de l'ordre social d'autrefois* ». À l'OQLF, le Comité de suivi de la situation linguistique avait recommandé que Béland accorde plutôt au facteur migratoire le rôle explicatif qui lui revient. D'autres évaluateurs externes en avaient dit autant. Peine perdue. Malgré le scandale suscité en mars 2008 par le faux rapport de « *Mam* » France Boucher, présidente de l'OQLF, les organismes issus de la *Charte de la langue française* persistent à nous désinformer.

Dans le vrai monde, la primauté des faits va évidemment de soi. Ainsi, dans son étude diffusée en 2007 par l'Institut C.D. Howe, l'économiste François Vaillancourt explique d'abord le rattrapage en question par la migration d'Anglo-Québécois bien rémunérés vers l'Ontario. Mario Polèse vient lui aussi de rappeler, dans la revue *Recherches sociographiques* de l'hiver 2009, que le « *déséquilibre sociologique entre francophones et anglophones* » s'est résorbé au prix du départ d'une « *bonne partie de la vieille élite anglophone* ». Il nous reste encore des têtes froides qui n'ont pas besoin de la Fée des étoiles.

Revenons-en à Fraser. Empressé à vendre la thèse selon laquelle la loi 101 a neutralisé un argument clé en faveur de l'indépendance du Québec, il présente la *Charte de la langue française* comme étant demeurée intacte et le Québec comme étant devenu à toutes fins utiles une société de langue française à l'intérieur du Canada. Or, tous les Québécois savent que des volets fondamentaux de la Charte sont tombés devant les tribunaux. En particulier, Trudeau et les neuf autres provinces ont aboli de force la clause Québec de la loi 101 en imposant au Québec leur nouvelle constitution. La plupart des Canadiens anglais l'ignorent ou préfèrent l'oublier. En y passant outre, Fraser ne les aide nullement à comprendre ce que les Québécois reprochent depuis au Canada anglais.

Fraser consacre même un chapitre entier à vanter la francisation réussie de Montréal et le remplacement de l'anglais par le français comme langue commune dans la métropole. Là non plus, il n'aide en rien les Canadiens anglais à saisir les préoccupations actuelles au Québec.

Pour la rédaction de ce chapitre, il reconnaît s'être « *beaucoup inspiré [...] du travail de Monica Heller* ». J'ai donc consulté les écrits de Heller sur Montréal auxquels nous renvoie Fraser. Rédigés il y a trente ans, juste après l'entrée en vigueur de la loi 101, ces textes surannés ne reposent sur aucune enquête véritable.

Heller y relate quelques échanges oraux notés dans une entreprise, une clinique et un restaurant, assortis de généralisations gratuites du genre (c'est nous qui traduisons de l'anglais) « *Selon la loi québécoise, le français est la langue de travail; les gens qui ne sont pas de langue maternelle française doivent démontrer leur compétence en français à l'employeur et au gouvernement [...] Tous ceux qui cherchent maintenant un emploi ou une promotion doivent pouvoir parler français [...] Auparavant, la langue commune entre personnes d'origine ethnique différente était l'anglais mais cette ancienne norme est désormais caduque [...] tout le monde est d'accord que la langue de travail doit être le français.* »

Par ici, la baguette magique ! Heller fait carrière depuis à l'Université de Toronto.

L'OQLF a complété en mai dernier la nomination des nouveaux membres externes de son Comité de suivi. Au démographe Marc Termote, président du comité, s'ajoutent... Monica Heller, le sociologue Jean Renaud et Jean-Pierre Corbeil, spécialiste en chef des données linguistiques à Statistique Canada. Ça promet.

Dans le numéro de l'été 2008 de *Canadian Issues/Thèmes canadiens,* revue d'une association de propagande canadienne que dirige Jack Jedwab, Heller rejette l'idée de déterminer la vitalité d'une population francophone par sa performance sur le plan de l'assimilation ou du remplacement de ses générations. Selon elle, il faut plutôt redéfinir « *ce que signifie être francophone ou parler français* ». Pareil obscurantisme nous ramène tout droit au flou artistique de la Commission Larose. Celle-ci n'a même pas été capable de définir le mot « *francophone* » de manière cohérente.

Jean Renaud, lui, s'est rendu célèbre durant cette même commission pour son rapport *Ils sont maintenant d'ici !* Jean Renaud y prétendait que les immigrants s'intègrent à tour de bras à la société québécoise francophone. Pas étonnant. Son échantillon était bourré d'immigrants francotropes, c'est-à-dire de langue maternelle latine ou originaires d'anciennes colonies françaises, portés à se franciser plutôt qu'à s'angliciser.

Quant à Jean-Pierre Corbeil, il se distingue à Statistique Canada dans la croisade pour l'unité canadienne. Corbeil cherche partout à rassurer sur la situation du français. Son analyse du recensement de 2006, parue en décembre 2007, laisse entendre en particulier que le français s'est imposé de façon décisive comme langue d'assimilation sur le territoire québécois alors que, au contraire, l'anglais tient toujours le haut du pavé en cette matière.

Dans le communiqué annonçant la composition du Comité de suivi, Marc Termote vante la compétence des nouveaux membres en vue de mener à bien « *avec rigueur et impartialité* » les travaux préparatoires au prochain rapport de l'OQLF. Je lui souhaite bien du plaisir.

Statistique Canada forme, avec Patrimoine canadien et le Commissariat aux langues officielles du Canada dirigé par Graham Fraser, une espèce de triangle des Bermudes pour ce qui est de toute information inquiétante sur l'état du français. Le bilinguisme et le multiculturalisme canadiens seront maintenant directement représentés à l'OQLF. Parmi les nominations à son Comité de suivi, celle d'un mercenaire spécialisé en dissimulation est particulièrement incongrue. Voilà que les organismes de la *Charte de la langue française* et ceux de la *Loi sur les langues officielles* du Canada deviennent des vases communicants.

Le Conseil de la langue française (CSLF) flirtait depuis quelque temps déjà avec le beau risque d'un Québec bilingue. Les réflexions consignées dans son recueil *Le français au Québec : les nouveaux défis,* publié en 2005, visaient bien davantage à aménager une large place à l'anglais qu'à garder l'anglais à sa place.

Les leaders souverainistes sont les premiers responsables de la dérive de l'information et de la réflexion sur le statut du français qui afflige le Québec depuis une quinzaine d'années. Dès la commission parlementaire de 1996 sur la loi 40 modifiant la loi 101, des intervenants avaient réclamé de la ministre Louise Beaudoin qu'elle mette fin au mécanisme des nominations partisanes à la présidence de l'Office et du Conseil. Elle n'en a rien fait. D'autres sont revenus à la charge sur ce point devant la Commission Larose. Toujours rien. Les militants du Parti Québécois viennent de rappeler l'intérêt d'une telle réforme, au colloque sur le développement culturel tenu en vue de leur prochain congrès national. Que cette fois soit enfin la bonne !

L'an dernier, dans une pétition dénonçant les pratiques qui visent « *à faire taire les chercheurs [...] sinon à empêcher que soient débattus certains des enjeux qui balisent l'avenir [...] des individus et des collectivités* », le président de l'ACFAS a cité, comme exemple de telles pratiques, la gestion du rapport bidon de l'OQLF. Quelque 4000 chercheurs ont signé la pétition.

Qu'importe. Jean Charest maintient « *Mam* » Boucher en poste. Elle peut encore faire pas mal de dégâts.

Chaque année de plus avec Charest à la barre rapproche le Québec français du naufrage.

l'aut'journal, n° 285,
décembre 2009/janvier 2010

Chapitre 6

L'anguille sous roche

Jack Jedwab n'a pas son pareil quand ça vient à culpabiliser les francophones. Le soir du référendum de 1995, on l'a immédiatement entendu sur les ondes de Radio-Canada donner au discours de Parizeau le *spin* que l'on sait.

Nos médias se contentent trop souvent de servir de courroie de transmission aux élucubrations de cet effronté. Financé jusqu'au trognon par Patrimoine canadien, Jedwab n'a de cesse de déstabiliser la majorité québécoise à coups d'enquêtes de l'organisme fantoche qu'il dirige, son *Association for Canadian Studies/Association d'études canadiennes.*

Jumping Jack *rides again* ! « *Les mieux rémunérés au Québec ne sont plus ceux que l'on croit* », titrait *Le Devoir* du 3 mai dernier. En sous-titre : « *Les Québécois l'ignorent, mais les francophones touchent maintenant des revenus d'emploi supérieurs à ceux des anglophones* ».

Faux. Le recensement de 2006 le confirme : per capita, nos Anglos gagnent toujours plus.

Le Devoir fait néanmoins une confiance aveugle à une enquête que

Jedwab et le *Quebec Community Groups Network* ont commandée à Léger Marketing. Jumping Jack et Christian Bourque, vice-président de Léger Marketing, en ont cosigné l'analyse qui porte un titre aussi croche qu'accrocheur : « *Busting the Myth that Quebec Anglophones Earn More than Francophones* ».

En bon perroquet, *Le Devoir* rapporte que « *La majorité des Québécois ignorent que les francophones touchent maintenant des revenus d'emploi supérieurs [...] Seulement 2,9 % des Québécois sont au courant de cette nouvelle situation ; la proportion des Québécois francophones qui le savent serait encore plus faible, soit 0,5 % [...] Le directeur général de l'Association d'études canadiennes, Jack Jedwab, s'est dit étonné d'apprendre qu'aussi peu de Québécois francophones savent qu'ils occupent, dans l'ensemble, des emplois mieux rémunérés que les [anglophones], selon les chiffres du dernier recensement fédéral. Celui-ci établit à 26 388 $ et 24 617 $ respectivement le revenu d'emploi médian pour les deux groupes.* »

C'est en raison de ce seul fait, soit que la médiane des revenus d'emploi des francophones est plus élevée d'environ 1 800 $, que Jedwab et Bourque prétendent que « *la population de langue maternelle française a gagné plus que celle de langue maternelle anglaise* » (ma traduction).

Pensiez-vous qu'il en était autrement ? Pauvres sacs à préjugés ! À Jedwab de lancer maintenant l'idée que nos Anglos souffrent de discrimination sur le marché du travail.

Jedwab est sûrement l'auteur de cette fourberie. Christian Bourque et *Le Devoir* se sont fait avoir.

L'anguille sous roche, c'est que pour comparer des revenus, la statistique la plus courante n'est pas la médiane mais la moyenne. En effet, Léger Marketing a formulé ses questions en fonction du revenu gagné « *en moyenne* ». Si l'enquêteur avait demandé aux répondants de comparer des revenus médians, personne n'aurait compris.

Dans leur analyse des résultats, Jedwab et Bourque affirment qu'ils ont ensuite comparé les perceptions des répondants à l'enquête touchant, rappelons-le, le revenu gagné EN

MOYENNE, aux données sur le revenu d'emploi MOYEN, provenant du recensement de 2006.

Ce n'est pas ce qu'ils ont fait. Ils ont comparé les résultats de leur enquête sur le revenu MOYEN aux données de 2006 sur le revenu MÉDIAN. Et *Le Devoir* d'avaler tout rond la couleuvre.

Juger de la situation à la lumière sélective du seul revenu médian est justifié, nous assurent Jedwab et Bourque, vu que « *les autres données de 2006 sur le revenu révèlent à peu près la même chose* ». Il n'y a que Jedwab pour proférer un mensonge aussi éhonté.

La vérité est tout autre. Le recensement de 2006 indique, au Québec, un revenu d'emploi moyen de 36 857 $ pour les anglophones, langue maternelle, contre 32 824 $ pour les francophones, soit un net avantage de 4 000 $ au profit des anglophones.

En faut-il, tout de même, du culot pour se moquer du monde et prétendre que « *les autres données de 2006 sur le revenu révèlent à peu près la même chose* » que la médiane ! Non seulement est-ce archifaux, mais ces données de 2006 sur le revenu d'emploi moyen sont tout à fait conformes aux perceptions recueillies par Léger Marketing quant à savoir quel groupe, EN MOYENNE, gagne le plus.

M'enfin, c'est quoi la médiane ? À quoi sert-elle ?

Prenons les travailleurs anglophones. Leur revenu médian de 24 617 $ indique simplement que durant l'année de référence 2005, la moitié d'entre eux ont gagné moins de 24 617 $ et l'autre moitié ont gagné plus.

Pour un groupe de travailleurs donné, la médiane sert ainsi de ligne de partage des eaux entre les gagne-petit et les gagne-gros au sein du groupe. Cependant, la médiane de 24 617 $ ne fait pas de différence entre un anglophone qui a gagné 30 000 $ et un autre qui a empoché 100 000 $.

En revanche, la moyenne, c'est-à-dire la somme des revenus du groupe divisée par le nombre de ses membres, est sensible, elle, à la valeur des salaires les plus forts. Que le revenu moyen des anglophones, de 36 857 $, dépasse de plus de 12 000 $ leur revenu médian signale que les anglophones comptent un solide contingent de gagne-très-gros.

Par comparaison, chez les travailleurs francophones, la médiane et la moyenne sont beaucoup plus rapprochées, à 26 388 $ et 32 824 $ respectivement. L'écart de seulement 6 400 $ veut dire que la distribution des revenus parmi les francophones est plus « *égalitaire* ».

Dans une autre perspective, comparativement à l'avantage de 1 800 $ des francophones quant au revenu médian, l'avantage plus net de 4 000 $ des anglophones sur les francophones quant au revenu moyen signifie que de nombreux francophones ont beau occuper des emplois relativement payants, une proportion plus élevée d'anglophones occupent toujours les emplois les mieux rémunérés.

Jedwab confond par ailleurs les emplois de tout genre. Or les données de 2006, disponibles à tout venant sur le site de Statistique Canada, précisent que l'avantage des francophones quant au revenu médian se limite aux emplois temporaires, saisonniers, à temps partiel, etc., sans socle commun quant au nombre de jours travaillés.

En effet, parmi les travailleurs qui ont œuvré toute l'année à plein temps et, donc, à peu près le même nombre de jours en 2005, l'avantage va aux anglophones aussi bien en ce qui concerne le revenu médian (1 800 $ de plus que celui des francophones) que le revenu moyen (9 300 $ de plus). Les francophones ne s'en tirent mieux, et du point de vue du revenu médian seulement, que parmi ceux qui ont travaillé une partie de l'année ou à temps partiel (voir notre tableau).

Revenu d'emploi des travailleurs en 2005 Québec, recensement de 2006		
	Anglophones	**Francophones**
Ayant travaillé toute l'année à plein temps		
Revenu moyen	54 154 $	44 882 $
Revenu médian	40 002 $	38 200 $
Ayant travaillé une partie de l'année ou à temps partiel		
Revenu moyen	22 007 $	21 972 $
Revenu médian	11 967 $	14 141 $

Se fiant toujours à Jedwab, *Le Devoir* répète par surcroît que « *seuls les Anglo-Québécois de plus de 45 ans ont touché des revenus d'emploi supérieurs à ceux des francophones en 2005* ». Lire, entre les lignes, que les anglophones gagne-gros seraient des dinosaures en voie de disparition.

Vérité sélective encore. Parmi les 25-44 ans, la médiane donne aux francophones un mince avantage de 1 000 $ mais la moyenne donne un avantage de 2 900 $ aux anglophones. Mieux encore, parmi les 25-44 ans qui ont travaillé toute l'année 2005 à plein temps, les deux statistiques accordent toujours, sur les deux plans, l'avantage aux anglophones, à hauteur de 1 200 $ quant à la médiane et de 5 700 $ quant à la moyenne.

Notons enfin que parmi les 45-64 ans qui ont travaillé toute l'année à plein temps – c'est-à-dire, grosso modo, parmi les travailleurs réguliers au sommet de leur carrière –, le revenu médian des anglophones était supérieur de 3 700 $ à celui des francophones et leur revenu moyen, supérieur de 13 500 $. Et que, contrairement toujours à ce que Jedwab laisse entendre, ces travailleurs d'expérience ont accédé à leur emploi de 2005 bien après la loi 101 et plus longtemps encore après la Révolution tranquille.

Décidément, il y a des mythes qui sont têtus.

Il ne reste qu'à s'interroger sur la responsabilité du *Devoir* dans la retransmission automatique des enquêtes à la Jedwab.

l'aut'journal, n° 291,
juillet/août 2010

Chapitre 7

Recensement et désinformation

C'est bien de protester contre l'objectif de Stephen Harper de rendre non obligatoire le questionnaire long du recensement. Encore faut-il se servir correctement des données disponibles.

Dans le chapitre précédent, j'ai montré comment Jack Jedwab et le *Quebec Community Groups Network* ont fait accroire que le revenu d'emploi moyen des francophones est maintenant supérieur à celui des anglophones et ce, malgré que les anglophones soient toujours plus scolarisés. Fumisterie que l'on a trop longtemps laissé courir.

La désinformation était pourtant flagrante. Le recensement de 2006 confirme, au contraire, qu'en accord avec leur scolarité supérieure, les anglophones gagnent un revenu d'emploi moyen supérieur de quelque 4 000 $ par année à celui des francophones.

Mais Jedwab et Cie ne se sont pas contentés de mentir effrontément. Ils ont commandé à Léger Marketing un sondage pour montrer qu'à peu près aucun francophone ne pense que les francophones gagnent en moyenne davantage que les anglophones, puis ils ont expliqué cette perception supposément erronée par les prétendus préjugés que la majorité francophone persisterait à nourrir envers sa « *pauvre* » minorité anglophone.

Dans la *Gazette* du 3 mai, Jedwab concluait ainsi que « *Les vieux mythes à propos de la minorité anglophone du Québec ont la vie dure. Un écart d'une telle envergure entre les perceptions [des francophones à propos du revenu d'emploi] et la réalité [selon Jedwab et Cie] est du jamais vu. Je pense qu'il s'agit là d'un mythe très puissant.* » [Traduction libre]

Jedwab flatte ainsi les préjugés, voire le mépris des anglophones envers les francophones en se moquant des perceptions – justes – des francophones en ce qui a trait aux écarts de revenu selon la langue. Plus tordu que ça, tu te mords la queue.

Dans la même édition de la *Gazette,* Christian Bourque, vice-président à la recherche chez Léger Marketing, a cautionné la supercherie Jedwab-QCGN : « *des expressions comme* “ né pour un petit pain ” *sont profondément incrustées dans la psyché des Québécois. Cela fait partie de la culture populaire des francophones que de ressasser l'époque où il y avait au Québec un système de classe fondé en partie sur la langue. L'image du boss anglais maintient une puissante emprise sur l'imagination populaire.* »

« *Old Myths About Anglos Die Hard in Quebec* » enchaîne la *Gazette* du 4 mai en éditorial. « *Les données du recensement de 2006 [...] montrent que le francophone moyen gagne par année 2000 $ de plus que l'anglophone moyen [...] alors que les anglophones ont plus souvent un diplôme universitaire et comptent moins de décrocheurs au secondaire [...] Ce que nous estimons plus remarquable que les faits financiers, ce sont les faits sociologiques et politiques [...] Comment se fait-il que tant de francophones comprennent si mal les faits ? [...] Pourquoi la culture politique québécoise se fonde-t-elle, à un degré dommageable, sur de vieilles rancunes et des perceptions désuètes [...] plutôt que sur la réalité d'aujourd'hui ? L'une des raisons, sans aucun doute, c'est que les Québécois se trouvent affligés d'un parti politique majeur qui fait son miel des vieux stéréotypes selon lesquels les anglos constituent une classe dominante étrangère – et de la création* *de nouveaux stéréotypes voulant, par exemple, que le français soit en voie de disparition à Montréal.* »

Le Parti québécois et ses adhérents – dont la nette majorité des francophones – sont donc de parfaits détraqués. Voilà qui attise les préjugés anti-francophones. Beau travail, M. Jedwab. La partition, ça se prépare.

Au moins la *Gazette* a-t-elle fait état de la mise au point du Mouvement Montréal français qui, en conférence de presse le 15 juin, a cité les données exactes de 2006. D'autres quotidiens n'en ont même pas fait autant.

L'idée que tout à coup les francophones gagneraient plus que les anglophones va pourtant à l'encontre du bon sens. Une étude majeure de l'économiste François Vaillancourt, publiée en 2007 par l'Institut C. D. Howe, comprend un tableau qui montre que selon le recensement de 2001, le revenu d'emploi moyen des hommes anglophones était supérieur à celui des hommes francophones. C'était pareil chez les femmes, quoique à un degré moindre. Or, entre 2001 et 2006, rien n'a bouleversé le monde du travail au Québec en faveur du français.

D'autre part, même selon Jedwab et la *Gazette,* les anglophones du Québec demeurent plus scolarisés que les francophones. Et « *qui s'instruit s'enrichit* » reste aussi vrai aujourd'hui qu'à l'époque de la Révolution tranquille.

L'éditorial du *Devoir* du 22 juin marquant le 50e anniversaire du coup d'envoi de la Révolution tranquille laisse par conséquent à désirer : « *Aujourd'hui, les Québécois francophones ont un niveau de revenu égal ou supérieur à celui de leurs concitoyens anglophones* », déclare le directeur Bernard Descôteaux.

C'est trop souvent sans recul critique que les médias avalisent les expertises douteuses de Jack Jedwab sur tout et son contraire. Il demeure néanmoins de la plus haute importance de bien évaluer les écarts de revenu entre anglophones et francophones. Car ces écarts influent sur le pouvoir d'assimilation de l'anglais comparativement au français.

Vaillancourt a démontré, il est vrai, qu'à scolarité, expérience et travail égaux, les disparités de revenu d'emploi entre anglophones et francophones se sont à peu près complètement résorbées au Québec dès les années 1970. Mais je dis bien à scolarité, expérience et travail égaux : tout ce qu'on peut conclure, à partir de là, c'est que l'ancienne discrimination salariale en faveur de l'anglais est disparue.

Ce qui n'implique pas du tout que les francophones gagnent aujourd'hui autant que les anglophones. L'avantage des anglophones sur le plan de la diplomation secondaire et universitaire persiste. Leur avantage quant au revenu d'emploi persiste aussi et ce, en toute logique.

Pour terminer, mettons à jour les résultats de Vaillancourt selon lesquels l'avantage des anglophones en matière de rémunération jouait en 2001 le plus fortement chez les hommes.

Selon le recensement de 2006, le revenu d'emploi moyen des anglophones pour l'année de référence 2005 est, rappelons-le, supérieur de près de 4 000 $ – soit de 12 % – à celui des francophones. Chez les hommes, l'avantage correspondant est de 6 400 $, comparativement à 1 600 $ chez les femmes. En chiffres relatifs, chez les hommes, les anglophones ont empoché 16 % de plus que les francophones alors que chez les femmes, les anglophones ont gagné 6 % de plus.

Comme nous l'avons vu aussi dans le chapitre précédent, les données disponibles à tout venant sur le site de Statistique Canada distinguent également entre revenu gagné par ceux qui ont travaillé à plein temps et ceux qui ont travaillé moins régulièrement. Pour les hommes qui ont travaillé toute l'année 2005 à plein temps, le revenu moyen des anglophones en 2005 est supérieur de 12 300 $ à celui des francophones.

Revenu d'emploi moyen des hommes en 2005 Québec, recensement de 2006		
	Anglophones	**Francophones**
Ayant travaillé toute l'année à plein temps	62 892 $	50 611 $
Ayant travaillé une partie de l'année ou à temps partiel	26 480 $	26 254 $

Cela représente pour les hommes anglophones un revenu moyen supérieur de 24 % à celui des francophones ! Ce n'est que parmi les autres travailleurs, moins nombreux, qu'anglophones et francophones ont des revenus à peu près identiques (voir notre tableau).

Le tableau correspondant pour les femmes présente des résultats semblables. En particulier, parmi celles qui ont travaillé toute l'année 2005 à plein temps, le revenu moyen des anglophones est supérieur de 13 % à celui des francophones, soit, comme en 2001, un écart moins accentué que chez les hommes.

Il n'y a donc aucune raison d'attribuer aux francophones des perceptions inexactes ou des préjugés quant aux écarts de revenu actuels. Ni d'encourager les suprématistes anglophones à jouer hypocritement aux martyrs incompris.

Heureusement qu'il y a aussi d'autres anglophones qui sont, eux, de tout cœur avec le Québec français.

l'aut'journal, n° 292,
septembre 2010

Chapitre 8

Les jeunes et l'anglais

Il n'y a rien de plus démoralisant pour qui a le français à cœur que de se faire dire que les jeunes sont passés à l'anglais. Une publication récente du Conseil supérieur de la langue française a produit des échos de ce genre. Intitulée *Le français et les jeunes,* l'étude de la sociologue Nathalie St-Laurent cherche à repérer les perceptions et attitudes linguistiques des jeunes Québécois âgés de 25 à 34 ans. Les réactions à son étude me paraissent par trop pessimistes, du moins celles que j'ai lues jusqu'ici.

Le chroniqueur Michel David a donné le ton dans *Le Devoir*. Sous le titre *La langue de demain,* il qualifie de déprimant ce que l'étude raconte sur la langue de travail, citant à témoin l'extrait suivant : « *peu de jeunes remettent vraiment en question la grande présence de l'anglais dans le milieu du travail québécois, la plupart semblant au contraire l'accepter assez facilement. Pour eux, l'usage de l'anglais est un incontournable dans le milieu du travail. C'est LA langue du commerce, des affaires, la langue internationale, celle qui ouvre toutes les portes.* »

Le constat de l'auteure est en fait plus nuancé. Quantité de ses observations vont à l'encontre d'une abdication des jeunes travailleurs en faveur de l'anglais, impression que laisse Michel David.

Par exemple : « *Pour les jeunes, certaines situations de communication sont plus cruciales que d'autres. [Elles] doivent se dérouler obligatoirement avec une prédominance du français et revêtent un caractère* " sacré ", *essentiel [comme] signer un contrat de travail en français [et] communiquer en français avec les ressources humaines [...] Pour la majorité d'entre eux [...] tout ce qui peut avoir une incidence importante sur leur travail (notes de service, directives ou information internes [etc.]) devrait être préférablement en français [...] un français de qualité et non une simple traduction pouvant comporter des imprécisions et entraîner des malentendus [...] L'usage de l'anglais dans d'autres situations de communication qu'ils jugent moins fondamentales importe beaucoup moins à leurs yeux. [Celles] dans lesquelles l'investissement identitaire des jeunes travailleurs est plus important ne tolèrent aucun compromis sur la prédominance du français [...] L'utilisation de l'anglais au travail est acceptée [...] essentiellement pour des raisons d'efficacité, et en particulier [...] dans le contexte de la mondialisation : relations avec les clients et les fournisseurs étrangers, relations avec le réseau transnational de l'entreprise, outils de travail et documentation provenant de l'extérieur du Québec, etc.* »

David malmène aussi l'étude en ce qui a trait à la langue commune ailleurs qu'au travail : « *Pour eux [les jeunes]*, écrit-il, *il ne semble pas évident que le français doive être la langue de convergence. En particulier pour les jeunes de la région de Montréal, cela peut tout aussi bien être l'anglais.* » À l'appui de cette généralisation, il offre la citation suivante : « *Pour nombre de jeunes qui sont parfaitement bilingues ou multilingues, la question de la langue d'accueil et de service n'est pas une source de tension [...] ils s'adressent tout simplement en anglais à leur interlocuteur si celui-ci maîtrise mal le français.* »

Or, « *nombre de* » veut simplement dire « *plusieurs* ». L'extrait retenu ne signifie donc pas que la plupart passent à l'anglais quand la communication en français est boiteuse. En outre, seulement une minorité de jeunes sont de parfaits bilingues. Quant à la métropole, l'étude affirme : « *Pour de nombreux jeunes, ceux de la région de Montréal en particulier, le français et l'anglais constituent les langues par lesquelles la communication entre personnes de groupes linguistiques différents est possible.* » Ici encore, Nathalie St-Laurent ne soutient pas que pour la plupart des jeunes Montréalais, l'anglais pourrait tout aussi bien que le français servir de langue commune. En fait, elle n'affirme nulle part que pour une majorité de jeunes, « *il ne semble pas évident que le français doive être la langue de convergence* », comme le laisse entendre Michel David.

Au contraire, l'étude donne plutôt à penser que pour la majorité, le français n'est jamais entièrement facultatif. Par exemple : « *La plupart des jeunes [...] manifestent une préférence marquée pour le français comme principale langue d'accueil et de service dans les commerces et institutions publiques. Lorsqu'ils sont en situation concrète cependant, ils sont relativement ouverts à ce que l'anglais soit présent. [Ils] sont en effet assez compréhensifs si leur interlocuteur ne maîtrise pas bien le français et acceptent assez facilement de s'adapter à l'autre en optant pour l'anglais* ***si celui-ci manifeste une ouverture à l'égard du français*** » (c'est nous qui soulignons). Nathalie St-Laurent conclut : « *Les jeunes sont majoritairement d'accord : l'absence totale du français à la fois dans la langue d'accueil et de service est inacceptable. Et surtout, ils trouvent intolérable le fait qu'on refuse de les servir en français s'ils le demandent, ce qu'ils considèrent comme de la mauvaise volonté de la part de l'autre, comme du mépris à l'égard des francophones.* »

Michel David a de toute évidence forcé la note. Il en remet dans sa chronique du 22 novembre. Sous le titre *Les raisins de la colère,* il insiste sur « *l'apathie de la population face à la situation du français* » et rappelle, de façon lapidaire, ce qu'il a vu dans l'étude du CSLF : « *Pour la jeune génération [...] il n'est pas évident que le français doive être la langue de convergence.* » De quoi convaincre Mme Marois d'éviter de parler du français durant le débat des chefs qui a eu lieu trois jours plus tard.

Le *spin* démobilisateur que David imprime à l'étude de St-Laurent conduit Christian Dufour, dans son récent livre, *Les Québécois et l'anglais,* à commenter la même publication sur un ton également pessimiste : « *Globalement [il s'en dégage] un portrait clairement inquiétant de la situation [qui] confirme d'autres informations circulant sur le même sujet [...] si le mouton canadien-français semble de retour, la situation apparaît tout particulièrement inquiétante chez certains membres de la jeune génération [...] s'il n'est jamais agréable de critiquer la jeunesse, osons dire qu'une partie de cette gentillesse, ouverture et tolérance exceptionnelles dont on la félicite souvent, n'est que la dernière version d'une abdication identitaire n'augurant rien de bon pour l'avenir.* » À son tour, dans *Le Devoir* du 9 novembre Louis Cornellier retient ceci du livre de Dufour : « *Selon une récente étude du Conseil supérieur de la langue françai-*

se, les jeunes francophones québécois […] ont tendance, par souci de bonne entente, à opter pour l'anglais comme langue de travail et de conversation dès qu'ils entendent un accent autre que typiquement québécois. »

Avant de formuler des simplifications trop sommaires, mieux vaudrait se pénétrer aussi du fait qu'il s'agit seulement d'une étude de nature exploratoire, menée au moyen de groupes de discussion formés de jeunes qui n'ont pas été choisis au hasard. Étude, donc, qui est peut-être susceptible de nous renseigner sur les perceptions et attitudes linguistiques dans toute leur diversité mais à partir de laquelle il est périlleux de porter un jugement global sur « *la jeune génération* » à la manière de David. L'auteure multiplie elle-même les affirmations portant sur « *les jeunes* » sans rappeler qu'il s'agit de « *ses* » jeunes, c'est-à-dire d'un échantillon qu'elle et ses collaboratrices ont pu recruter on ne sait trop comment. Par conséquent, sur le plan statistique ils ne représentent qu'eux-mêmes, pour ainsi dire, et non pas l'ensemble des Québécois âgés de 25 à 34 ans.

Il ne suffit pas que l'auteure signale une fois ces limites dans sa section méthodologie, fût-ce en gras : « *cette méthode d'enquête* ***ne nous permet pas d'extrapoler les résultats obtenus à l'ensemble de la population des jeunes Québécois de ce groupe d'âge*** ». Semblable mise en garde aurait dû figurer dans l'introduction comme dans la conclusion, de même que dans le communiqué annonçant la parution de l'étude, avec un rappel explicite du type « *Étude exploratoire* » dès la page couverture.

Notons encore que ce mode d'investigation prête flanc à des effets de groupe. En l'occurrence, chaque groupe de discussion qui comprenait des francophones en comptait au plus cinq ou six mais, aussi, au moins un anglophone et au moins un allophone qui parlaient bien le français. Ce qui a vraisemblablement eu pour effet de susciter de la part des francophones des opinions plus accommodantes qu'autrement.

L'Institut du Nouveau Monde tiendra un forum les 3 et 4 avril prochains sur la situation du français. L'une des séances portera sur « *Les Québécois et leur rapport à l'anglais* ». Souhaitons que les intervenants aient fait au préalable une lecture attentive de l'étude de Nathalie St-Laurent. Et gare aux généralisations sur « *les jeunes* » qui ne sont pas fondées sur un solide échantillon aléatoire !

l'aut'journal, n° 278,
avril 2009

PARTIE II

LA QUESTION DU CÉGEP

Chapitre 9

Savoir compter

C*omment se fait-il qu'un mathématicien s'intéresse à la langue ?* » Cela remonte à la diffusion des résultats du recensement de 1971 qui, pour la première fois, comprenaient des données sur la langue d'usage à la maison. Les nouvelles étaient mauvaises pour le français au Canada. Entre autres, on pouvait constater en direct l'ampleur de l'assimilation des minorités francophones. Un ingénieur d'Ottawa, M. Richard Joy, affirmait néanmoins dans *Le Devoir* : « *le français est fort au Québec* », puisque la population de langue d'usage française y était supérieure à celle qui avait le français comme langue maternelle.

Le démographe Norbert Robitaille lui a répondu que si le français était fort au Québec, l'anglais l'était bien davantage. Il a souligné que si la population de langue d'usage française dépassait de 3690 personnes celle qui avait le français comme langue maternelle, l'excédent correspondant pour l'anglais était de 99 045.

Ce calcul me paraissait plein de bon sens. Quasiment tout le profit de l'assimilation au Québec allait à l'anglais.

Au vu d'une majorité de 4 866 410 francophones (langue maternelle) en 1971, l'excédent pour le français paraissait en fait infinitésimal. Celui pour l'anglais était au contraire bien costaud compte tenu d'une minorité de 788 830 anglophones. Vu sous un autre angle encore, la majorité francophone était six fois supérieure à la minorité anglophone, mais l'assimilation rapportait un bénéfice 27 fois plus grand à la minorité qu'à la majorité.

À l'époque, le démographe Jacques Henripin considérait lui aussi que le monde était à l'envers. Dans un rapport intitulé *L'immigration et le déséquilibre linguistique,* paru en 1974, il faisait remarquer que pour maintenir ce qu'il appelait l'équilibre des langues, l'assimilation des allophones au Québec devait produire quatre francophones pour un anglophone. Il ne s'était pas beaucoup forcé les méninges. Si la répartition de l'assimilation des allophones ne s'élevait pas jusqu'au ratio de 6 à 1 entre francophones et anglophones, il est évident que l'anglais en tirerait toujours un avantage et que l'« équilibre » des langues continuerait de pencher en sa faveur.

C'était avant que l'élection du PQ en 1976 fasse perdre à Henripin toute objectivité. Il s'emploie désormais à défendre la minorité anglophone opprimée.

Prenons, par exemple, la contestation judiciaire de la loi 104 sur les écoles passerelles. Avec l'aide de Henripin comme témoin expert, l'avocat Brent Tyler vise dans cette cause à élargir l'accès à l'école anglaise. Il est parvenu à se rendre jusqu'en Cour suprême. Que donne cependant la façon de voir du Henripin d'avant 1976 à ce propos ?

Mettons d'abord la question en perspective. À l'époque du recensement de 1971, disons durant l'année scolaire 1971-1972, le Québec comptait 256 251 élèves à l'école anglaise (primaire et secondaire réunies), soit un excédent de 67 152 ou de 35,5 % sur sa clientèle « *naturelle* » de 189 099 écoliers anglophones. Les chiffres correspondants pour le français étaient de 1 378 788 élèves à l'école française contre un total quasi identique de 1 379 912 écoliers francophones. Ainsi, l'idéologie du libre choix de la langue de scolarisation qui prévalait à l'époque profitait uniquement à l'anglais.

Une situation similaire, en somme, à celle touchant l'assimilation, que venait de révéler le recensement de 1971.

La majorité francophone avait jugé cette domination de l'anglais inacceptable. Par sa loi 22, le gouvernement Bourassa a voulu infléchir en faveur du français la langue de scolarisation et, partant, d'assimilation. Le gouvernement Lévesque a renchéri avec sa loi 101. Ces mesures apportent aujourd'hui au français des excédents bienfaisants tant à l'école qu'au foyer.

Comparons cependant ces bénéfices aux excédents correspondants pour l'anglais. Côté assimilation, le recensement de 2006 montre 168 308 personnes de plus de langue d'usage française que de langue maternelle française. L'excédent correspondant pour l'anglais est de 180 721. D'autre part, le Québec de 2006 compte 5 916 840 francophones (langue maternelle) pour 607 165 anglophones, un ratio de près de 10 à 1. Aux yeux du Henripin d'avant 1976, pour que l'assimilation n'avantage pas l'anglais il faudrait que les excédents engendrés par l'assimilation reflètent le même rapport, c'est-à-dire qu'ils s'élèvent à 316 561 francisés contre 32 468 anglicisés plutôt qu'à 168 308 contre 180 721. Trente-cinq ans après le recensement de 1971, le pouvoir d'assimilation du français reste donc très loin du point d'équilibre entrevu par Henripin, et l'avantage demeure clairement à l'anglais.

Quant à la clientèle scolaire, pour l'année 2007-2008 les 931 859 élèves à l'école française, comparés à sa clientèle « *naturelle* » de 830 364 écoliers francophones, représentent un excédent de 101 495 ou de 12,2 %. Les chiffres correspondants sont de 116 976 élèves à l'école anglaise en regard de 89 850 écoliers anglophones, soit un excédent de 27 126 ou de 30,2 %, proportion à peine plus faible qu'en 1971-1972. D'un autre point de vue, le ratio entre les excédents est de seulement 374 à 100 alors que le ratio entre le nombre d'élèves francophones et anglophones est de 924 à 100. Même après les 30 ans de la loi 101, l'école française reste donc loin, elle aussi, d'attirer sa quote-part d'élèves additionnels et l'avantage demeure, là aussi, à l'anglais.

Devant ces faits, comment la minorité anglophone réussit-elle à se rendre avec une pareille cause jusqu'en Cour suprême ? En se faisant passer pour un canari dans un puits de mine. C'est l'image même qu'emploie Debbie Horrocks, présidente de l'Association des commissions scolaires anglophones du Québec, dans *Le Devoir* du 16 décembre 2008.

Longtemps assoupie par ce genre de lamentation, la majorité donne de timides signes de réveil. Saisi par la faiblesse du français comme langue de travail et d'assimilation ainsi que par la chute subite du poids des francophones à Montréal, dans son éditorial du 6 mars le directeur du *Devoir* sommait le gouvernement d'appliquer la loi 101 avec rigueur afin qu'en l'espace de cinq ans l'assimilation se fasse vers le français « *dans une proportion qui dépasse largement le seuil de 50 %* ».

Fort bien. Mais que signifie « *dépasse largement* » ? À moins de fixer la barre à 10 à 1, l'assimilation continuera d'avantager l'anglais et le poids des francophones, de plonger au profit de celui des anglophones. Impossible de franciser suffisamment la langue de travail en vue d'atteindre un tel objectif en matière d'assimilation en appliquant simplement la loi 101 dans sa forme actuelle : sans mettre fin, entre autres, au libre choix de la langue des études collégiales.

Emploi-Québec estime que 70 % des emplois qui seront créés d'ici 2016 exigeront au minimum une formation collégiale. Or le libre choix que permet l'actuelle loi 101 profite presque exclusivement au cégep anglais. De façon globale, 9 % des cégépiens sont de langue maternelle anglaise et 81 %, de langue maternelle française. Mais 18 % des cégépiens s'inscrivent au cégep anglais contre 82 % au cégep français.

Dans son dernier bouquin *Les Québécois et l'anglais : le retour du mouton* (Les Éditeurs réunis), le politologue Christian Dufour reconnaît d'ailleurs que « *on ne saurait par principe se limiter aux seules mesures incitatives pour promouvoir un français qui apparaît, en 2008, dans une situation plus fragile que la majorité des francophones ne le croient* ». Il prône « *de faire de la claire prédominance du français sans exclusion de l'anglais l'une de nos institutions politiques et juridiques fondamentales* ».

Fort bien aussi. Mais que veut dire « *claire prédominance* » ? Dufour propose de mettre fin au libre choix de cégep seulement si le pourcentage d'étudiants inscrits au cégep français devient « *substantiellement inférieur au pourcentage de la population francophone du Québec* ». Il précise qu'en 2006, le pourcentage d'étudiants au cégep français était de 80,9 % et estime qu'une proportion de 75 % « *allumerait de toute évidence un feu rouge* », c'est-à-dire qu'il faudrait alors mettre fin au libre choix car ce serait là un signe clair que « *l'équilibre linguistique actuel est en train de se défaire au détriment du français* ».

« *Claire prédominance du français* » et « *équilibre linguistique actuel* » signifient donc, pour Dufour, 80,9 % d'étudiants au cégep français. Autrement dit, tel un Richard Joy devant les chiffres de 1971 sur l'assimilation, Dufour considère que le français est fort au cégep. Il se contenterait de laisser le régime de libre choix ronronner au profit à peu près exclusif de l'anglais. La majorité avait pourtant jugé inacceptable dans les années 1970 une semblable situation désavantageuse pour le français, qui découlait du libre choix de l'école au primaire et au secondaire.

Prédominance et équilibre mon œil. Dire que Dufour qualifie du même souffle les Québécois de « moutons » à cause de leur attitude trop accommodante envers l'anglais ! Chassez le naturel, il revient au galop.

Trop timides, ces premières réactions à une dynamique qui dérape au détriment du français. L'on ne saurait bien penser la langue sans savoir compter.

l'aut'journal, nº 276,
février 2009

Chapitre 10

Les jeunes du libre choix

L'avenir du français se joue chez les jeunes. À l'occasion de la Commission Larose, j'avais donc tenté d'attirer l'attention sur la vitalité ambivalente du français parmi la relève d'âge scolaire et celle de l'âge des études collégiales.

À l'aide des deux recensements les plus récents, ceux de 1991 et 1996, j'avais estimé combien de changements de langue d'usage au foyer – ou substitutions linguistiques – en faveur de l'anglais ou du français s'étaient accomplis entre 1991 et 1996 dans la région métropolitaine de Montréal parmi deux cohortes d'enfants ou d'adolescents soit, d'une part, ceux qui avaient de 0 à 9 ans au premier recensement et, d'autre part, ceux qui avaient de 10 à 14 ans. Au second recensement, celui de 1996, la plus jeune cohorte était parvenue à l'âge de 5 à 14 ans et, grosso modo, fréquentait l'école primaire ou secondaire. La plus âgée avait, elle, de 15 à 19 ans et, en majeure partie, terminait le secondaire ou fréquentait le cégep.

J'avais écarté les jeunes immigrés arrivés durant la période 1991-1996, la quasi-totalité des substitutions observées parmi ces derniers s'étant accomplies à l'étranger, avant d'arriver au Québec, et non au cours de leur bref séjour dans le milieu de vie montréalais. Hormis l'effet de la mortalité, de l'émigration ou de la migration interprovinciale, facteurs peu actifs en bas âge, mes observations témoignaient ainsi du mouvement de l'assimilation parmi des jeunes présents dans la région de Montréal en 1991 et qui y résidaient encore en 1996.

Dans le débat entre maintenir le libre choix de la langue des études collégiales et étendre la loi 101 au cégep, le résultat de mes recherches tranchait en faveur de cette dernière option. Au sein de la première cohorte, le solde des substitutions réalisées entre 1991 et 1996 se répartissait assez également entre l'anglais et le français alors que parmi la seconde, il profitait exclusivement à l'anglais. Plus exactement, j'avais signalé à la Commission que « *le passage au primaire ou au secondaire se solde, pour l'anglais, par un gain net de 3 495 nouveaux locuteurs, en regard d'un gain net de 2 904 pour le français [tandis que] lors du passage à l'âge des études collégiales, la même analyse révèle un gain net de 1 526 pour l'anglais, contre une perte nette de huit pour le français.* »

À propos de ce dernier chiffre, j'avais précisé ceci : « *Comment est-ce possible ? N'y a-t-il pas des allophones qui se francisent au cours de leur passage au cégep ? Certes. Mais leur apport au français se trouve annulé par un nombre équivalent de jeunes francophones qui s'anglicisent. Il semble donc que non seulement le libre choix de la langue d'enseignement au cégep brise l'élan donné au primaire et au secondaire à la part du français parmi les [substitutions] des jeunes allophones [...] mais que ce libre choix imprime en même temps une impulsion certaine à l'anglicisation des jeunes francophones dans la région métropolitaine.* »

Fidèle à l'impératif d'« *ouverture* » instauré durant le règne de Lucien Bouchard, la Commission Larose n'a rien retenu de cela dans son rapport final. Cela fera bientôt dix années de perdues.

Je viens de refaire cette analyse en prenant comme cadre le Québec tout entier plutôt que la région de

Montréal, afin de maximiser le pouvoir d'attraction du français face à l'anglais. J'ai suivi cette fois le comportement linguistique de deux cohortes d'égale envergure, âgées au départ de 0 à 9 ans et de 10 à 19 ans. Étant âgée de 15 à 24 ans au deuxième recensement, la seconde cohorte permet de capter plus complètement l'effet du libre choix de la langue au cégep, qui se répercute sur la langue des études universitaires ou du premier emploi.

J'ai pu suivre l'évolution des substitutions par cohorte durant la période 1991-1996 et aussi, à l'aide des recensements plus récents, durant 1996-2001 et 2001-2006. Comme dans mon étude précédente, pour chaque période quinquennale j'ai écarté les immigrants arrivés entre la paire de recensements en cause afin de ne retenir pour l'essentiel que les substitutions de langue d'usage au foyer réalisées parmi des jeunes ayant séjourné continûment au Québec au cours de la période. Cette fois, j'ai aussi écarté les résidents non permanents, entre autres pour ne retenir que les élèves auxquels la loi 101 serait susceptible de s'appliquer et pour éliminer de mes observations les étudiants universitaires étrangers.

Gains de l'anglais et du français réalisés au Québec par voie d'assimilation parmi les jeunes au cours des trois derniers lustres

Période et cohorte	Nouveaux gains	
	Anglais	Français
1991 - 1996		
0-9 ans	3 300	2 600
10-19 ans	1 500	1 000
1996 - 2001		
0-9 ans	2 300	3 400
10-19 ans	3 400	100
2001 - 2006		
0-9 ans	2 200	3 500
10-19 ans	4 400	1 200

Le résultat (voir notre tableau) ne diffère pas fondamentalement de ce que j'avais présenté à la Commission Larose. Durant la période 1991-1996, le français se défend assez bien vis-à-vis de l'anglais au primaire et au secondaire mais à la fin du secondaire, à l'âge des études collégiales et tout de suite après, l'anglais domine nettement. Durant 1996-2001 et 2001-2006, le français l'emporte sur l'anglais parmi la première cohorte et ce, à peu près au même degré durant chaque période. La loi 101 semble ainsi avoir eu, depuis 1977, le temps de produire tout son effet au primaire et au secondaire. En revanche, durant chacune des deux périodes les plus récentes, l'anglais domine effrontément parmi la cohorte la plus âgée.

Si bien qu'au total des deux cohortes et malgré la loi 101, durant chacune des trois périodes l'anglicisation se déploie chez les jeunes davantage que la francisation.

Cela ne démontre pas seulement à quel point le libre choix au cégep renverse l'effet de la loi 101 au primaire et au secondaire : cela démontre aussi à quel point on se leurre quand on confond la francisation des immigrants complétée à l'étranger avec ce qui se passe sur le terrain au Québec.

Soulignons que la performance du français serait encore plus alarmante, n'en déplaise à MM. Bouchard et Taylor, si l'on s'en tenait à la seule région de Montréal ; que pour profiter au même degré au français qu'à l'anglais, l'assimilation devrait se solder, à l'échelle du Québec, par des gains neuf fois plus importants pour le français que pour l'anglais et, enfin, que notre tableau sous-estime la domination de l'anglais dans la mesure où un certain nombre de jeunes allophones et francophones, anglicisés au Québec durant chacune des périodes à l'étude, ne sont pas compris dans le solde de l'assimilation en fin de période parce qu'ils ont entre-temps quitté le Québec pour le reste du Canada.

Notons aussi que les modifications apportées par Statistique Canada aux questions de recensement en 2001 ont eu pour effet de hausser la francisation des allophones aux dépens de leur anglicisation. Autrement dit, la performance du français face à l'anglais se trouve artificiellement gonflée en 2001 et 2006 en regard de 1991 et 1996. Par surcroît, au fil des recensements la hausse continue du poids des francotropes (de langue espagnole, arabe, créole, roumaine, etc.) au sein de la population allophone, qui découle non pas d'un quelconque effet de la loi 101 sur le terrain, au Québec, mais de la politique de sélection des immigrants à l'étranger, a également pour effet de hausser pour ainsi dire automatiquement la part du français dans l'assimilation des allophones.

Pourquoi, alors, l'évolution du solde de l'assimilation demeure-t-elle si faible pour le français parmi la cohorte la plus âgée, même au cours de 2001-2006 ? C'est que, comme je l'avais signalé à la Commission Larose pour la période 1991-1996, l'anglicisation de jeunes francophones vient annuler en majeure partie l'apport de la francisation de jeunes allophones.

Ce bilan des comportements linguistiques au foyer parmi les sujets les plus âgés est le reflet direct de la neutralisation quasi complète du nombre d'étudiants allophones au cégep français par le nombre d'étudiants francophones au cégep anglais, dont j'ai fait état dans mon livre *Avantage à l'anglais ! Dynamique actuelle des langues au Québec*. Avant la loi 101, une situation semblable prévalait au primaire et au secondaire. Le libre choix faisait en sorte que le nombre d'élèves francophones à l'école anglaise neutralisait le nombre d'élèves allophones à l'école française.

Il est évident qu'on ne saurait attribuer exclusivement à la loi 101 et au libre choix la vitalité à deux vitesses du français parmi les jeunes. Mais la divergence troublante dans l'évolution linguistique de nos deux cohortes indique tout aussi clairement, par son ampleur, qu'étendre la loi 101 au cégep renforcerait de façon appréciable son effet francisant parmi la cohorte la plus âgée. Voilà plus de trente ans que, par crainte du qu'en-dira-t-on, le Québec facilite sa propre anglicisation.

Quand Bernard Landry a remplacé Lucien Bouchard, il m'a invité à son bureau. « *Vous savez,* m'a-t-il dit, *je lis tout ce que vous écrivez. Si vous me démontrez que le français est en danger, j'agirai.* »

Il n'est jamais trop tard pour bien faire.

l'aut'journal, n° 284,
novembre 2009

Chapitre 11

Le Conseil supérieur de la langue française se discrédite

L*e cégep ne change rien* » selon Conrad Ouellon, président du Conseil supérieur de la langue française. Dans *La Presse* du 15 décembre, il prétend invalider deux arguments qui plaident en faveur d'étendre la loi 101 aux études collégiales. Ainsi, à son avis, le fait pour les immigrants de fréquenter un cégep anglais ne favoriserait ni leur usage de l'anglais comme langue de travail, ni leur assimilation à l'anglais comme langue d'usage au foyer.

Une position qui va à ce point à l'encontre du bon sens a besoin de s'appuyer sur du solide. Ouellon se fonde sur *La fréquentation du cégep et l'usage des langues dans la vie privée et la vie publique,* mini-étude de Paul Béland, chercheur principal au CSLF. Béland fait semblant de neutraliser les deux mêmes arguments au moyen du recensement de 2001. Or, le recensement peut nous renseigner sur le nombre d'années qu'une personne a terminées dans un cégep, mais il ne précise pas s'il s'agit d'études dans un cégep anglais ou français.

Qu'importe. Béland examine la langue d'usage des allophones au travail et au foyer selon qu'ils ont fréquenté ou non le cégep et selon leur origine, c'est-à-dire selon qu'ils sont francotropes et naturellement portés vers le français en raison de leur langue maternelle (l'espagnol, par exemple) ou de leur pays de provenance (Haïti, Maroc, etc.), ou anglotropes et portés pour des raisons analogues vers l'anglais. Il constate que pour les anglotropes, l'usage de l'anglais au travail et à la maison est du même ordre, qu'ils aient fréquenté ou non le cégep. Il constate la même chose quant aux francotropes. Il conclut que ce n'est pas la fréquentation du cégep mais l'origine, anglotrope ou francotrope, des allophones qui influe sur leur langue de travail et d'assimilation. Ouellon répète la même chose.

Dans l'optique des arguments qu'ils prétendent invalider, la question n'est toutefois pas de savoir si le simple fait de fréquenter un cégep influe sur la langue de travail ou d'assimilation mais si le fait de fréquenter un cégep ANGLAIS au lieu d'un cégep FRANÇAIS a une telle influence. Gloser comme le font Paul Béland et Conrad Ouellon sur le tropisme des uns et des autres n'est dès lors que poudre au yeux.

L'usage de l'anglais au travail et au foyer est-il plus courant parmi les anglotropes qui ont fréquenté le cégep anglais que parmi les anglotropes qui sont allés au cégep français ? De même, qu'en est-il pour les francotropes ? Si l'on tient à faire entrer en ligne de compte l'origine des allophones, voilà les vraies questions qu'il faut poser.

Bref, la démarche de Béland est une supercherie. Puisqu'il a dû en approuver la publication, Pierre Georgeault, directeur de la recherche au CSLF, est aussi dans le coup. La prise de position de Conrad Ouellon achève de discréditer le Conseil.

Cela étant, y a-t-il, en plus du bon sens, des études qui appuient ces deux arguments en faveur d'étendre la loi 101 au cégep ? Oui. Et nos commandos de la langue les connaissent bien.

Voyons d'abord le premier argument. L'Office québécois de la langue française a publié en 2008 une étude majeure de Virginie Moffet (auteure principale), intitulée *Langue de travail dans les grandes entreprises au*

Québec. Se fondant sur une enquête auprès d'un large échantillon de travailleurs, Moffet conclut que « *la langue des études pertinentes à l'exercice d'un métier ou d'une profession a un lien indéniable avec la langue de travail ensuite utilisée sur le marché du travail* ». Que dans son rapport servile de 2008 la présidente de l'OQLF, « *Mam* » France Boucher, ait passé cette conclusion sous silence ne change rien à sa validité scientifique.

Moffet observe notamment que dans la région de Montréal, un peu plus de 50 % des immigrants allophones qui ont fait en anglais les études pertinentes à leur emploi travaillent principalement en anglais, contre seulement 7 % de ceux qui ont fait leurs études pertinentes en français. Écart nettement plus marqué que celui noté par Béland entre anglotropes et francotropes. La langue des études pertinentes – dont celle du cégep – exercerait donc sur la langue de travail une influence distincte, au-delà de la seule origine ethnolinguistique.

Voyons maintenant le second argument. Dans mon livre *L'assimilation linguistique : mesure et évolution 1971-*

1986, publié par le CSLF en 1994, j'ai démontré à l'aide du recensement de 1986 que « *les dispositions des lois 22 et 101 limitant l'accès à l'école anglaise ont fortement contribué à renverser, en faveur du français, la domination de l'anglais dans l'assimilation des enfants allophones [immigrés] à l'âge scolaire ou préscolaire* ».

Dans ce livre que Béland et Georgeault connaissent très bien j'ai, plus précisément, mis en évidence une « *évolution prononcée et durable vers le français [parmi les anglotropes et francotropes] arrivés au Québec à l'âge d'être touchés directement par l'obligation de fréquenter l'école française* ». En particulier, alors que la part du français dans l'assimilation des jeunes anglotropes ainsi touchés n'était que de 7 % parmi la cohorte arrivée en 1971-1975, elle avait bondi à 58 % parmi la cohorte arrivée en 1976-1980.

Autrement dit, les anglotropes ne sont pas nécessairement prédestinés à s'angliciser : la contrainte peut les transformer en francotropes. À la lumière de cette restructuration réussie de l'assimilation, il y a tout lieu d'estimer que l'extension de la loi 101 au cégep exercerait un effet tonifiant supplémentaire sur le pouvoir d'assimilation du français.

Les recensements de 1991 et 1996 sont venus confirmer par la suite qu'en matière d'assimilation réalisée au Québec parmi les jeunes, toutes langues maternelles confondues, l'assimilation au français était devenue plus fréquente que l'assimilation à l'anglais à l'âge des études primaires et secondaires, alors que l'assimilation à l'anglais demeurait nettement plus fréquente que l'assimilation au français à l'âge du cégep. J'en concluais, dans mon article « *L'impact du libre choix au cégep* » (*Le Devoir,* 2 mars 2001), que « *non seulement le libre choix de la langue d'enseignement au cégep brise l'élan donné [par la loi 101] à la part du français [dans l'assimilation] des jeunes allophones, [il] imprime en même temps une impulsion certaine à l'anglicisation des jeunes francophones* ». Les données de 2001 et 2006 ont reconfirmé le maintien de cette domination globale de l'anglais sur le français comme langue d'assimilation à l'âge des études collégiales, ainsi que nous venons de le voir au chapitre 10.

Le lien entre langue de travail et langue d'assimilation, validé par les travaux de l'OQLF et du CSLF eux-mêmes, renforce d'ailleurs le second argument. En effet, selon le fascicule *Langue de travail* publié par l'OQLF en 2006, parmi les travailleurs allophones qui s'assimilent à l'anglais ou au français « *près des deux tiers de ceux qui travaillent en français utilisent le français à la maison tandis que près de 90 % de ceux qui travaillent en anglais parlent cette langue au foyer* ». Que dans son rapport, « *Mam* » Boucher ait *flushé* ce résultat n'y change rien. Dans son étude *Langue et immigration, langue de travail,* publiée par le CSLF en 2008, Béland ne dit pas autre chose : « *Les gens [...] auront tendance à adopter à la maison [la langue] qui est efficace en public* ».

Si, donc, d'après l'enquête de Moffet, la langue des études pertinentes influe sur la langue de travail et si, selon d'autres études de l'OQLF et de Béland, la langue de travail influe à son tour sur la langue d'assimilation, il s'ensuit que la langue des études pertinentes au premier emploi – dont celle du cégep – influe sur l'assimilation. Mes recherches sur la langue d'assimilation selon l'âge ont simplement confirmé, de manière encore plus directe, que le Québec ne fait pas exception à la règle.

Les arguments que le CSLF prétend réfuter sont par conséquent béton. Ce ne sont pas les seules raisons en faveur d'étendre les dispositions de la loi 101 au cégep mais elles portent sur des enjeux fondamentaux.

La question du cégep est ainsi susceptible de révéler le degré d'engagement envers le projet de faire du français la langue commune de la société québécoise. Les différents intervenants poursuivent-ils, oui ou non, cet objectif premier ?

De ce point de vue, en occultant des informations essentielles, « *Mam* » Boucher s'est plutôt complu à exécuter une commande politique. Ouellon a fait de même et s'est abaissé, en outre, au sophisme trompeur.

En agissant de la sorte, les présidents des deux principaux organismes de la *Charte de la langue française* ont préféré de toute évidence servir une autre cause que le projet qu'ils sont censés promouvoir.

À nominations partisanes, constats et avis partisans.

l'aut'journal, n° 286,
février 2010

Chapitre 12

Des arguments pour Pauline

Les éditorialistes du *Devoir* nous aidaient jadis à voir clair dans la situation linguistique. Depuis quelques années, ce n'est plus le cas. La palme du mollasson en cette matière revient à son directeur.

Bernard Descôteaux s'opposait déjà à l'extension de la loi 101 au cégep dans son éditorial « *Une résolution prématurée* » du 27 mai 2005. Je me permets d'y revenir car je suis plus que jamais persuadé que cette mesure simple et concrète contribuerait de façon efficace à donner au français le nouvel élan qui lui manque dans le monde du travail à Montréal, dans les foyers des nouveaux arrivants et, bien évidemment, dans les études supérieures. En quoi Descôteaux jugeait-il cette proposition inopportune ?

Descôteaux faisait valoir en 2005 que le français progressait au Québec. Dans son éditorial, il fait ressortir que la part du français dans l'assimilation des allophones va croissant. Il soutient aussi que le poids du français en tant que langue d'usage demeure stable alors que celui de l'anglais diminue. Il considère par conséquent qu'il serait « *prématuré* » et « *inutilement radical* » d'étendre la loi 101 au cégep. Descôteaux suggère plutôt de rendre le cégep français plus attrayant en y renforçant l'enseignement de l'anglais.

Pour que le français occupe dans l'enseignement collégial la place qui lui revient, il faudrait réussir à attirer au cégep français la moitié des jeunes qui choisissent le cégep anglais. Or, soyons sérieux. Apprendre l'anglais dans un cégep français n'aura jamais l'attrait de *the real thing*.

Si l'école française n'assure pas une compétence acceptable en anglais au bout de onze ans d'apprentissage, la solution n'est d'ailleurs pas d'y ajouter deux années d'enseignement médiocre de plus au cégep. Il importe plutôt de réussir son enseignement là où c'est pédagogiquement le plus indiqué, soit au deuxième cycle du primaire et au secondaire. Mais une fois solidement bilingues, qu'est-ce qui garantit qu'encore davantage de diplômés des écoles françaises, francophones aussi bien qu'allophones, ne choisiront pas de s'inscrire au cégep anglais ? Et nous revoilà à la case départ.

Dans son éditorial du 24 novembre dernier intitulé, encore et toujours,

« *Une mesure prématurée* », Descôteaux repousse de nouveau l'extension de la loi 101 au cégep. Les raisons qu'il invoquait pour tergiverser en 2005 se sont pourtant effondrées.

Au recensement de 2006, le poids du français comme langue d'usage au Québec a pris une méchante débarque tandis celui de l'anglais a augmenté. Et l'on a maintenant compris que la progression de la part du français dans l'assimilation des allophones provient non pas tant d'un pouvoir d'assimilation accru du français face à l'anglais sur le sol québécois que de la sélection d'immigrants francisés d'avance, à l'étranger. L'assimilation qui s'accomplit dans le milieu de vie québécois – et, surtout, montréalais – continue de profiter davantage à l'anglais qu'au français.

Qu'importe, cependant, si les arguments que Descôteaux opposait il y a cinq ans à l'extension de la loi 101 au cégep ne tiennent plus aujourd'hui. Il se permet maintenant de juger que cette proposition est « *mal appuyée sur le plan argumentaire* » !

Conrad Ouellon, président du Conseil supérieur de la langue française, a prétendu trois semaines plus tard dans *La Presse* que deux arguments fondamentaux en faveur de cette mesure étaient non valides. J'ai dénoncé le bluff de Conrad Ouellon dans le chapitre précédent, mais je me dois d'y revenir.

Se fondant sur une étude complaisante de son chercheur Paul Béland, Ouellon a soutenu à tort avoir démontré que parmi les allophones, le fait d'étudier en français au cégep n'influerait pas sur leur langue de travail ou d'assimilation. Selon Ouellon, ces comportements seraient déterminés d'avance par l'origine ethnolinguistique, les francotropes (de langue créole ou roumaine, par exemple) adoptant plus volontiers le français et les anglotropes (de langue germanique, chinoise, etc.), l'anglais.

En ce qui concerne la langue d'assimilation, j'avais notamment démontré dans un livre publié en 1994 par le CSLF, organisme que préside Conrad Ouellon, que les anglotropes ne sont pas prédestinés à s'angliciser : dès le recensement de 1986, la loi 101 transformait plutôt en francotropes ceux qui nous arrivaient à l'âge scolaire ou préscolaire.

Et voilà qu'un collègue me signale que le régime scolaire de la loi 101 exerce également sur la langue de travail des anglotropes une influence favorable au français et ce, d'après une étude du même Béland ! Dans *Langue et immigration, langue de travail : éléments d'analyse,* publié par le CSLF en 2008, Béland a relevé en effet que selon le recensement de 2001, parmi les anglotropes qui ont immigré au Québec à l'âge de 12 ans ou moins, seulement 15 % de ceux qui sont arrivés avant la loi 101 employaient le français comme langue de travail principale, alors que parmi ceux qui sont arrivés après, ce pourcentage s'élevait à 29 %.

L'obligation de fréquenter l'école française pendant au moins les études secondaires aurait donc doublé l'usage du français comme langue principale de travail parmi ces anglotropes. Étendre la loi 101 aux études pertinentes à l'exercice d'un métier ou d'une profession, comme au cégep, imprimerait assurément un élan additionnel à l'usage du français au travail. Le silence de Ouellon sur ce résultat tout récent de Béland est impardonnable.

Pour revenir à la langue d'assimilation, à l'aide du recensement de 2006 j'ai mis à jour mes observations de 1994. Afin de comparer l'effet du libre choix et celui de la loi 101 sur la part du français dans l'assimilation des anglotropes, j'ai distingué, comme en 1994, entre les immigrés d'avant 1976 et ceux d'après. J'ai écarté les immigrés de 2001-2006, parce que l'assimilation observée parmi eux en 2006 s'est réalisée surtout à l'étranger.

Cette fois, cependant, j'ai distingué entre trois cohortes d'anglotropes selon que leur âge à l'arrivée était de 0 à 9, de 10 à 14 ou de 15 à 24 ans. Après la loi 101, la première cohorte passe de sept à onze ans à l'école française. La deuxième y passe de deux à six ans. La loi 101 touche très peu la troisième cohorte dont la très grande partie arrive à l'âge des études postsecondaires ou du premier emploi.

Avant 1976, c'est-à-dire grosso modo à l'époque du libre choix, presque tous les enfants anglotropes immigrés étudiaient à l'école anglaise. La première ligne de notre tableau montre que plus ils ont passé d'années à l'école anglaise, plus ils ont choisi l'anglais plutôt que le français comme nouvelle langue d'usage à la maison.

Part du français dans l'assimilation des immigrés anglotropes, ensemble du Québec, 2006			
	Âge à l'arrivée		
	0-9 ans	10-14 ans	15-24 ans
Immigrés avant 1976	17%	21%	32%
Immigrés 1976-2000	56%	48%	37%

La seconde ligne montre que, depuis, la loi 101 exerce un effet analogue mais, cette fois, en faveur du français. Plus les anglotropes passent d'années à étudier en français, plus ils optent pour le français au lieu de l'anglais comme langue d'assimilation. Au point où les 0-9 ans à l'arrivée, qui font le plus grand nombre d'années d'études en français, se comportent comme des francotropes : une majorité se francisent plutôt que de s'angliciser.

Même conclusion, donc, qu'en 1994. Sauf qu'il est encore plus évident qu'en augmentant le nombre d'années d'études en français, l'extension au cégep de la loi 101 renforcerait le pouvoir d'assimilation du français vis-à-vis de l'anglais dans chacune des trois cohortes d'âges.

Pour tout argumentaire, dans son éditorial du 24 novembre le directeur du *Devoir,* Bernard Descôteaux, avertit Pauline Marois que « *retirer un droit qui n'a jamais été remis en cause depuis l'adoption de la loi 101 [...] constituerait une rupture avec la politique d'intégration douce des immigrants allophones pratiquée par le Parti québécois* ». D'après lui, si Marois accueillait favorablement le consensus survenu entre ses militants autour du cégep en français pour tous, « *elle prendrait le risque de s'aliéner une large partie des communautés culturelles* ».

Les enfants de la loi 101 n'auraient jamais vu le jour si Camille Laurin et René Lévesque s'étaient laissés gagner par un pareil appel à l'accommodement. Penser la langue de manière aussi timorée n'est pas davantage de mise maintenant que, de nouveau, le caractère français du Québec vacille. Ce qu'il nous faut aujourd'hui, ce sont des adolescents et des jeunes adultes de la loi 101.

« *Fais ce que dois* », Pauline !

l'aut'journal, n° 287,
mars 2010

Chapitre 13

Au français, le podium !

La minuscule place réservée au français à la cérémonie d'ouverture des Jeux de Vancouver invite à bien prendre conscience de la dynamique linguistique qui sévit au Canada en ce début du XXIe siècle.

Plaçons d'abord dans une perspective historique ce qui se passe au Québec.

En recevant en mai dernier la Médaille d'honneur de l'Assemblée nationale, Luc Plamondon a lancé : « *Le français dégringole !* ». Dans ma chronique du mois suivant (*l'aut'journal,* nº 280 – voir chapitre 4), j'ai démontré chiffres à l'appui à quel point il avait raison. On a pu constater qu'en majeure partie, la croissance de la majorité francophone, langue maternelle, annoncée par Statistique Canada pour la période 2001-2006, provenait simplement d'un recensement plus complet des francophones au Québec en 2006. Tel que prévu, la majorité s'approche bel et bien d'une croissance nulle.

En comparant des pommes et des pommes, c'est-à-dire en tenant compte, entre autres, non seulement des personnes qui ont répondu au recensement mais aussi des estimations de Statistique Canada quant à la langue maternelle des personnes que le recensement a manquées, on a aussi constaté que le poids de la majorité francophone au Québec a plongé brusquement entre 2001 et 2006 de 81 à 79,1 %. Une chute de deux points de pourcentage en cinq ans.

Pareille dégringolade est du jamais vu dans l'histoire des recensements canadiens, soit depuis 1871.

Il est vrai qu'entre 1951 et 1971 la majorité francophone avait essuyé un recul presque aussi marqué, passant de 82,5 à 80,7 %. Mais cela avait pris deux décennies. En outre, durant ces vingt années de forte immigration d'après guerre, la minorité anglophone avait vu également son poids fléchir, de 13,8 à 13,1 %.

La majorité avait néanmoins jugé à cette époque la situation suffisamment grave pour justifier la prise de mesures contraignantes dont la loi 22, suivie de près par la loi 101.

Aujourd'hui, le poids des francophones vient de prendre une débarque plus raide encore et ce, en l'espace de cinq ans seulement. Fait également inédit dans l'histoire des recensements canadiens, le poids de la minorité anglophone, langue maternelle, n'a pas reculé d'un milligramme entre 2001 et 2006.

Par surcroît, alors que le français dégringole aussi au Québec en tant que langue d'usage à la maison, le poids de l'anglais, langue d'usage, augmente – du jamais vu, encore, depuis que le recensement recueille cette information.

Décidément, en ce début du XXIe siècle, l'anglais occupe au Québec tout le podium.

Le recul du français a beau battre tous les records, il en reste toujours qui branlent dans le manche devant le besoin évident de relancer la francisation du Québec au moyen de nouvelles mesures contraignantes.

Ainsi, dans *L'intégration linguistique des immigrants au Québec,* étude que vient de publier l'Institut de recherche en politiques publiques, le psychologue Michel Pagé reprend pour l'essentiel le discours qu'il tenait déjà en 2005 dans sa contribution au recueil *Le français au Québec : les nouveaux défis,* publié par le Conseil supérieur de la langue française (CSLF). Dans la revue *Recherches sociographiques,* j'ai critiqué à l'époque son analyse de la situation linguistique dans un texte intitulé « *Le beau risque d'un Québec bilingue* ».

Pagé défend une interprétation contestable de l'esprit et de la lettre de la *Charte de la langue française,* selon laquelle la Charte reconnaîtrait, au Québec, deux langues communes. Il considère qu'il vaut mieux accepter la large place qu'occupe l'anglais dans le monde du travail et des études supérieures au Québec et pratiquer une politique linguistique en conséquence, plutôt que baliser à nouveau la place qu'il convient d'accorder à cette langue en étendant la loi 101 au cégep ou aux entreprises de moins de 50 employés.

Déjà risquée voilà cinq ans, une approche comme celle de Pagé l'est encore plus aujourd'hui, vu la débandade du français au recensement de 2006. On dirait que pour certains dont, comme je l'ai relevé aux deux chapitres précédents, le président du CSLF et le directeur du *Devoir,* les cinq dernières années n'ont rien apporté de nouveau en matière de connaissances sur la dynamique actuelle des langues au Québec.

En ce qui concerne notamment l'extension des dispositions de la loi 101 au cégep, Pagé estime dans sa nouvelle étude qu'« *il n'y a encore aucune donnée scientifique qui peut étayer la thèse suivant laquelle les enfants d'immigrants qui poursuivent leur scolarité en anglais au collège et à l'université choisissent l'anglais comme langue préférée à l'âge adulte* ».

Faux. J'ai relevé en ces pages nombre de résultats récents à l'appui de cette thèse.

Par contre, Pagé, lui, n'apporte aucune « *donnée scientifique* » à l'appui de sa propre thèse voulant qu'il ne faut pas étendre la loi 101 au cégep.

À ce propos, son étude n'est d'ailleurs pas un modèle de cohérence. Il soutient, par exemple, que « *l'école constitue un creuset d'intégration linguistique qui peut fortement influencer les préférences linguistiques. Les liens d'amitié qui s'y nouent – et qui durent souvent bien au-delà de la période de scolarité –, le choix d'un conjoint ou d'une conjointe – qui commence à se dessiner dès le moment où l'on fréquen-*

te le collège ou l'université – et les réseaux professionnels qui y prennent naissance, tous ces liens sociaux importants peuvent avoir une influence déterminante sur l'intégration linguistique à l'âge adulte. »

En ce qui a trait à l'insertion dans les réseaux professionnels et affectifs, ces considérations s'appliquent encore mieux au cégep qu'à l'école. Par-dessus le marché, Pagé admet carrément que « *la langue d'enseignement du collège et de l'université que les jeunes choisissent de fréquenter devient souvent celle qu'ils maîtriseront le mieux – en particulier dans leur domaine d'étude – et celle qu'ils souhaiteront donc utiliser au travail par la suite* ».

Que voilà d'excellentes raisons d'étendre la loi 101 au cégep !

Pagé conclut toutefois que « *ce serait une erreur que de miser trop exclusivement sur une intervention législative [...] Il convient davantage de chercher les actions qui peuvent créer des conditions favorisant l'adoption du français comme langue préférée.* » Comme exemple de telles actions, Pagé propose d'améliorer l'accès des immigrants à des cours de français et à des emplois en français. La bonne vieille approche incitative, quoi, auprès des immigrants et des chefs d'entreprise.

Défaut de cohérence, encore là. Cité par Lisa-Marie Gervais dans le *Devoir* du 20 février, le commissaire scolaire Akos Verboczy l'a bien mis en évidence : les milieux de travail sont trop peu nombreux à faire la part belle au français. « *Ça ne sert à rien de donner des cours de français si le milieu de travail est en anglais* », a-t-il noté.

On n'y coupera pas. Il faut desserrer l'emprise de l'anglais sur le marché du travail.

Pourquoi ne pas essayer de marcher et de mâcher de la gomme en même temps ? Pourquoi ne pas mener des actions incitatives comme celles proposées par Pagé ET renforcer en même temps la loi 101 dans le monde du travail et de l'éducation ?

Pagé a finalement laissé entrevoir le fond de sa pensée lors du lancement de son étude. « *Barring immigrants and francophones from English CEGEP would be unfair* », a-t-il confié au journal *The Gazette.*

En entrevue lui aussi avec Lisa-Marie Gervais, son collègue Jean-

François Gaudreau-Desbiens, titulaire de la Chaire de recherche sur l'identité juridique et culturelle à l'Université de Montréal, a renchéri : « *Il y a des limites à utiliser le paternalisme étatique pour contraindre les libertés individuelles. Ce ne serait pas impensable juridiquement parlant, mais sous l'angle politique, ce serait extrêmement problématique. Ce ne serait pas sous le signe de l'ouverture.* » Pagé avait écrit la même chose en 2005.

Nous y sommes. Au risque de voir la déroute du français devant l'anglais se poursuivre bien au-delà de 2001-2006, il faut demeurer *fair* et *open.*

Nenni. Après 1951-1971, Bourassa puis Lévesque ont fini par reconnaître le bien fondé de mesures contraignantes. Si l'on souhaite voir le français remonter sur le podium, il faut de nouveau changer les règles du jeu.

l'aut'journal, n° 288,
avril 2010

PARTIE III

LE FRANÇAIS AU CANADA

Chapitre 14

L'anglicisation à Ottawa : plus élevée que jamais

Voir comment le Canada pourrait se développer « *on the basis of an equal partnership between the two founding races* » (« *sur la base d'un partenariat d'égal à égal entre les deux peuples fondateurs* », dirait-on dans le français d'aujourd'hui). Magnifique mandat donné en 1963 à la Commission royale d'enquête sur le bilinguisme et le biculturalisme, ou Commission BB, par Lester B. Pearson, premier ministre unilingue anglais d'un pays en crise.

Son successeur, Pierre Elliott Trudeau, a fait en sorte que la montagne accouche d'une souris. De la vision de Pearson, il ne reste que la *Loi sur les langues officielles*. Adieu, pays biculturel et binational. Bonjour, hétéroclite collage d'une seule nation, de deux langues officielles et de moult cultures.

Du point de vue de la consolidation du fait français au Canada, le fiasco de la formule à la Trudeau n'est nulle part plus patent que dans la capitale de ce pays chimérique.

La Commission BB avait souligné qu'à Ottawa, le français souffrait d'un statut inférieur à l'anglais. Elle s'est toutefois gardée de chiffrer l'anglicisation qui en découlait. Peut-être jugeait-elle que l'ex-fonctionnaire fédéral Marcel Chaput avait, dix ans plus tôt, attiré suffisamment l'attention sur l'assimilation de la population d'origine française hors Québec dans son retentissant plaidoyer, *Pourquoi je suis séparatiste.*

Chaput avait constaté que ce type d'anglicisation évoluait à la hausse. Si la commission avait voulu, elle aurait pu ajouter que dans le comté d'Ottawa-Carleton, qui correspond à l'actuelle ville d'Ottawa, l'anglicisation des personnes d'origine française avait doublé entre 1941 et 1961, passant de 7 à 15 %.

La Commission BB a préféré s'en tenir aux grands principes. Intitulé « *La capitale fédérale* », le Livre V de son rapport final s'ouvre sur une citation de Montesquieu : « *C'est la capitale qui, surtout, fait les mœurs des peuples; c'est Paris qui fait les Français.* » Elle a proposé pour la capitale du Canada un objectif à l'avenant, soit « *un état d'équilibre entre les deux langues officielles [...] Si la capitale d'un pays bilingue doit inspirer le respect et la fidélité chez ses citoyens des deux langues, elle ne doit pas refléter la domination d'une langue sur l'autre.* »

Grâce aux bons offices de Trudeau, cela ne s'est pas traduit par un éveil réciproque des citoyens de la capitale au fait qu'ils expriment quotidiennement, dans ces deux langues, deux grandes cultures distinctes, ni par la reconnaissance qu'ils y sont les représentants au jour le jour de deux nations qui commandent un égal respect. Adoptée en 1969, la *Loi sur les langues officielles* assure seulement aux habitants d'Ottawa des services fédéraux en français et en anglais et, s'ils sont fonctionnaires fédéraux, le droit d'y travailler dans la langue officielle de leur choix.

Où en sommes-nous en ce 40e anniversaire de cette loi ?

Chaput avait dû mesurer l'assimilation en comparant langue maternelle et origine ethnique. Recueillie depuis 1971, l'information sur la langue d'usage parlée à la maison au moment du recensement nous permet de suivre l'assimilation de manière plus immédiate, en mesurant celle qui est survenue du vivant des personnes recensées.

En 1971, 16 % des francophones (langue maternelle) de la ville d'Ottawa ont déclaré avoir adopté l'anglais comme langue d'usage au foyer. En 2006, le taux correspondant s'élevait à 32 %. Du simple au double en 35 ans et ce, en marquant une hausse à chaque recensement successif.

Ajoutons qu'en 2006, le taux atteint 38 % chez les 25 à 44 ans. Cela signifie qu'à l'heure actuelle, plus du tiers des parents francophones d'Ottawa élèvent leurs enfants en anglais. De langue maternelle anglaise, ceux-ci alourdiront le ratio des anglophones aux francophones dans la capitale. Ce qui renforcera le pouvoir d'assimilation de l'anglais sur la minorité francophone restante. Et tourne la roue !

À cause de son formidable pouvoir d'assimilation, la majorité de langue d'usage anglaise a maintenu de fait son poids à 77 % de la population d'Ottawa. Au contraire, celui de la minorité de langue d'usage française a chuté rapidement, passant de 17 % en 1971 à seulement 11 % en 2006. Ainsi, la capitale comptait quelque 450 anglophones pour 100 francophones, langue d'usage, en 1971 mais environ

700 anglophones pour 100 francophones 35 ans plus tard.

Cet engrenage s'est étendu au comté voisin de Russell, à l'est d'Ottawa. À l'époque de la Commission BB, la majorité francophone de Russell, pour l'essentiel rurale, jouissait d'un poids comparable à celle du Québec et demeurait presque aussi imperméable qu'elle à l'anglicisation. L'étalement urbain autour d'Ottawa a transformé la situation. De 1971 à 2001, le poids des francophones dans le comté de Russell est passé de 84 à 62 %. Corrélativement, le taux d'anglicisation des jeunes adultes y est passé de 3 à 10 %.

Dans la mesure où l'assimilation traduit fidèlement le statut social des langues, la hausse continue du taux d'anglicisation des francophones indique qu'à Ottawa, loin de se rapprocher d'un équilibre entre les deux langues officielles ou d'un adoucissement de la domination de l'une sur l'autre, la situation s'en éloigne sans cesse.

Sans doute serait-ce pire encore si, dans la capitale du Canada, le droit de recevoir des services fédéraux en français et celui de travailler en français à la fonction publique fédérale n'existaient pas, du moins sur papier. En réalité, le fédéral n'a toujours pas trouvé moyen d'appliquer correctement sa loi tant célébrée.

Le commissaire aux langues officielles le répète depuis maintenant 40 ans. Voyons son rapport annuel, cuvée 2008-2009 : « *Tout comme mes prédécesseurs [...] j'ai souvent été atterré par le fait que le gouvernement fédéral et ses institutions n'ont pas su faire respecter l'esprit de la Loi [...] Aujourd'hui encore [...] le fait d'utiliser les deux langues pour accueillir les citoyens et de faire valoir pleinement les deux langues en milieu de travail ne fait pas partie de [leur] culture [...] le droit de travailler en français [...] est souvent plus symbolique que réel. Dans la plupart des milieux de travail au sein du gouvernement fédéral, l'anglais et la culture anglophone continuent de prédominer. Souvent, les fonctionnaires qui parlent en français pendant une réunion ou qui écrivent [...] dans cette langue ne sont pas certains d'être bien compris ou appréciés [...] il faut se rendre à l'évidence : le français comme langue de travail n'est pas aussi utilisé qu'il devrait l'être dans les bureaux fédéraux situés dans la région de la capitale nationale.* »

Pareil constat se fonde d'ailleurs sur des enquêtes qui, au lieu de déterminer si un fonctionnaire francophone travaille effectivement en français, lui demandent s'il se sent « *libre* » de travailler « *dans la langue officielle de [son] choix* ». Libre, donc, à celui qui travaille en anglais parce qu'il juge cela plus avantageux ou qu'il maîtrise mieux cette langue, de répondre qu'il travaille « *dans la langue officielle de [son] choix* ». Ces enquêtes sont par conséquent trompeuses. Qu'on y pense : à Ottawa, l'anglais domine à tel point dans la vie de tous les jours que dès la fin du secondaire, la majorité des élèves franco-ontariens de la capitale s'identifient désormais comme « *bilingues* » plutôt que « *francophones* ». Rendus là, bon nombre d'entre eux sont déjà plus compétents en anglais qu'en français.

Le gouvernement du Québec en est venu, à l'usure, à ne plus respecter l'esprit de sa loi 101. Mais cela fait 40 ans que le gouvernement du Canada s'abstient de donner l'exemple et d'exercer le leadership nécessaire pour que sa *Loi sur les langues officielles* règne dans tous les cœurs. Lisons encore le commissaire aux langues officielles : « *Lors d'événements comme la remise de prix littéraires, les festivals du film ou les concours visant à déterminer les plus importants symboles canadiens, on présume souvent que le Canada est un pays anglophone et que sa culture et son histoire sont associées à cette langue. Trop souvent, les seuls mots de français qu'on entend lors d'événements publics sont* " Bonjour Mesdames et Messieurs " *au début et* " Merci " *à la fin, et ce, même à Ottawa, la capitale nationale.* »

Rien d'étonnant, alors, à ce qu'on soit acculé à la guérilla juridique pour défendre les services bilingues de la ville d'Ottawa contre les attaques des *Canadians for Language Fairness,* héritiers de la *Association for the Preservation of English in Canada,* ou, encore, l'affichage bilingue décrété par la municipalité de Russell contre sa contestation judiciaire par Howard Galganov, ex-président notoire du *Quebec Political Action Committee.*

Ottawa compte de nombreux anglophones de bonne foi. Ils ne font cependant pas le poids devant la sourde résistance et, régulièrement, l'expression ouverte d'une volonté atavique de domination qui ont miné la réalisation d'un état d'équilibre entre le français et l'anglais dans la capitale du Canada.

Comme dirait Montesquieu, c'est Ottawa qui fait les Canadiens. Et Ottawa parle anglais.

l'aut'journal, n° 281,
juillet/août 2009

Chapitre 15

La lente agonie du français hors Québec

Où en est le français à l'extérieur du Québec en ce 40e anniversaire de la *Loi sur les langues officielles* du Canada ? L'enseignement du français comme langue seconde dans les écoles du Canada anglais a certes connu quelque succès. Cela sert trop souvent, cependant, à masquer le recul de l'usage du français comme langue première au foyer.

Au moment où Pierre Elliott Trudeau faisait adopter ses politiques de bilinguisme et de multiculturalisme, à la fin des années 1960, la population francophone hors Québec réussissait encore à remplacer ses générations. Les jeunes enfants francophones étaient aussi nombreux au recensement de 1971 que les jeunes adultes de langue maternelle française.

Mais l'ancienne société canadienne-française s'est depuis évaporée. Et la disparition de la traditionnelle surfécondité des femmes francophones a mis en évidence les ravages qu'entraîne le cancer de l'assimilation.

À l'heure actuelle, c'est-à-dire au recensement de 2006, le déficit entre les générations francophones s'élève à 44 %. Autrement dit, parmi les francophones à l'extérieur du Québec, les jeunes enfants sont presque moitié moins nombreux que les jeunes adultes. Le profil selon l'âge de la population de langue maternelle française hors Québec (voir notre figure) montre qu'en fait, la relève s'effrite de façon régulière depuis maintenant 40 ans.

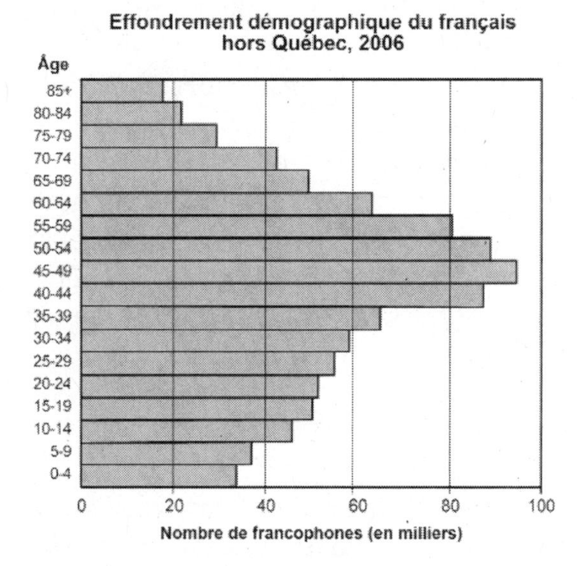

Touchées tout autant par la sous-fécondité, les trois autres principales populations de langue officielle au Canada se portent néanmoins mieux. Beaucoup mieux dans le cas de la majorité anglophone hors Québec dont le déficit actuel entre les générations n'est que de 4 %. Beaucoup mieux également en ce qui concerne la minorité anglophone du Québec dont le déficit n'est aussi que de seulement 4 %. Quant à la majorité francophone du Québec, son déficit ne s'élève tout de même qu'à 16 %.

Cela s'explique par le profit que chacun de ces groupes tire de l'assimilation. La sous-fécondité des populations de langue anglaise du Québec et du reste du Canada se trouve presque totalement compensée par l'anglicisation de jeunes parents allophones qui élèvent leurs enfants en anglais, ce qui fournit à ces deux populations de nombreux enfants additionnels de langue maternelle anglaise. Ce mécanisme de compensation fonctionne moins bien pour la majorité francophone du Québec qui francise proportionnellement moins de jeunes adultes allophones.

Le pouvoir d'assimilation du français parmi les allophones à l'extérieur du Québec est, par contre, négligeable. En outre, nombre de jeunes parents francophones s'y anglicisent, produisant du coup des enfants de langue maternelle anglaise. Par conséquent, si au Québec le nombre de jeunes enfants de langue maternelle française s'est réduit du quart entre 1971 et 2006, dans le reste du Canada il s'est réduit de moitié : on y comptait 67 220 enfants de langue maternelle française âgés de 0 à 4 ans en 1971 contre seulement 33 892 en 2006. Vu autrement, si le Québec comprenait 85 % des jeunes enfants francophones du Canada en 1971, il en rassemble 90 % aujourd'hui.

La réduction de la relève est le plus marquée dans les provinces autres que le Nouveau-Brunswick, où l'anglicisation des francophones sévit moins qu'ailleurs, ainsi que l'Ontario, l'Alberta et la Colombie-Britannique qui accueillent force francophones du Québec et de l'étranger. Par exemple, au cours des 35 années en cause, les jeunes enfants francophones sont passés de 2 325 à 816 en Nouvelle-Écosse et de 4 065 à 1 435 au Manitoba.

Nonobstant la *Loi sur les langues officielles* de Trudeau, le taux d'anglicisation des adultes francophones âgés de 35 à 44 ans, qui témoignent le mieux du pouvoir d'assimilation qu'exerce l'anglais au cours d'une vie, a progressé depuis 1971 dans huit des neuf provinces hors Québec. Le Nouveau-Brunswick fait seul exception. Le pourcentage de francophones qui, parvenus à l'âge de 35 à 44 ans, ont adopté l'anglais comme langue première à la maison s'y est quelque peu réduit, passant de 12 % en 1971 à 9 % en 2006.

Cette réduction est attribuable au pouvoir politique des Acadiens. Forts du tiers de l'électorat, ils ont obtenu la bilinguisation officielle du Nouveau-Brunswick en 1969, suivie d'une quasi-reconnaissance en tant que peuple. Cependant, sous-fécondité et anglicisation y agissent tout de même de concert et se soldent par un déficit actuel de 35 % entre les générations francophones. De sorte que la population de langue française au Nouveau-Brunswick évolue désormais à la baisse. La population parlant le français comme langue première à la maison, par exemple, y est passée de 223 265 en 1991 à 213 885 en 2006, soit une réduction de 4 % en 15 ans.

Dans les trois autres provinces de l'est du Canada, l'assimilation et le défaut de remplacement des générations se sont accrus depuis 1971 pour atteindre tous deux 50 % ou plus en 2006. La population de langue d'usage française au foyer se trouve par conséquent en chute libre dans chacune d'elles, passant entre 1971 et 2006 de 2 295 à 740 à Terre-Neuve, de 4 405 à 2 755 à l'Île-du-Prince-Édouard et de 27 220 à 17 870 en Nouvelle-Écosse.

L'Ontario comprend un peu plus de la moitié de la population de langue française hors Québec. Le taux d'anglicisation des 35-44 ans de langue maternelle française y augmente lentement mais sûrement à chaque recensement, passant au total de 38 % en 1971 à 44 % en 2006. Le déficit actuel entre les générations francophones y est également de l'ordre de 40 % et la population ontarienne qui parle le français comme langue principale au foyer s'est réduite de 14 %, glissant de 352 465 en 1971 à 304 721 en 2006.

Dans chacune des quatre provinces de l'Ouest, l'assimilation des 35-44 ans s'élève en 2006 au-dessus de 60 %. D'autre part, le déficit actuel entre les générations francophones est de 40 % au Manitoba et de plus de 50 % dans les trois autres provinces. De 1971 à

2006, la population de langue d'usage française est donc passée de 39 600 à 20 515 au Manitoba et de 15 930 à 4 320 en Saskatchewan. Cependant, l'Alberta et la Colombie-Britannique, qui sont des provinces d'immigration, attirent en particulier de nombreux francophones, notamment du Québec et de l'étranger, de sorte que la population de langue d'usage française se maintient autour de quelque 20 000 en Alberta et augmente, même, en Colombie-Britannique où elle est passée de 11 505 en 1971 à 17 555 en 2006.

Ces deux dernières provinces ne demeurent pas moins de véritables cimetières pour le français, langue première, dont la population ne se renouvelle qu'à coup de sang frais en provenance d'ailleurs. En effet, en Alberta, le taux d'anglicisation des francophones âgés de 35 à 44 ans et natifs de l'Alberta était en 2006 de 88 %. En Colombie-Britannique, le taux d'anglicisation des francophones du même âge, nés dans la province, était de 83 %. Seulement 22 % des jeunes adultes francophones en Alberta étaient natifs de leur province, comparativement à 38 % qui étaient nés au Québec et 8 % à l'étranger. En Colombie-Britannique, les parts correspondantes étaient de 13 % nés dans la province contre 48 % nés au Québec et 13 % à l'étranger.

Il faut savoir de plus que les taux d'anglicisation des francophones de 45 à 54 ans nés au Québec et nés à l'étranger s'élevaient en Alberta à 65 et 67 % respectivement et, toujours en 2006, à 72 et 61 % respectivement en Colombie-Britannique. Ce qui revient à dire que dans ces provinces, les immigrants francophones, en particulier, en viennent dès la première génération à renforcer la population de langue anglaise davantage que celle de langue française.

Une situation semblable prévaut dans toutes les régions du Canada qui ne comptent pas une viable population francophone de souche à laquelle de nouveaux arrivants de langue française trouveraient intérêt à se greffer. Plus précisément, outre qu'au Québec, évidemment, ce n'est qu'au Nouveau-Brunswick ainsi que dans l'est et le nord de l'Ontario qu'une majorité d'immigrants francophones persistent à parler le français comme langue d'usage au foyer. Autrement dit, ailleurs qu'à Montréal, Moncton, Ottawa ou Sudbury, promouvoir une immigration de langue française pour renflouer les populations francophones défaillantes équivaut à mettre un cataplasme sur une jambe de bois.

Or, c'est justement la politique que poursuit le gouvernement du Canada depuis le *Plan d'action pour les langues officielles* parrainé en 2003 par l'ex-ministre Stéphane Dion, visant à maintenir les minorités francophones à flot « *coast-to-coast-to-coast* ». Le comble, c'est que le gouvernement québécois collabore à cette fumisterie maintenant que le Québec a « *réintégré le giron de la francophonie canadienne* », pour reprendre la suave expression de l'ex-ministre Benoît Pelletier.

De toute évidence, pour que le français au Canada en bénéficie pleinement et de façon durable, il convient au contraire d'orienter fermement l'immigration francophone vers le Québec et le Nouveau-Brunswick ou, à la limite, vers l'est et le nord de l'Ontario. Quant au reste du Canada anglais, cette ressource est trop rare et précieuse pour servir de soins palliatifs.

l'aut'journal, n° 282,
septembre 2009

Chapitre 16

La dualité canadienne prend le bord

Comment s'est passée la période 2001-2006 pour le français au Canada ? Que nous annonce ce début du XXIe siècle quant à la place du français dans le Canada de demain ?

Pour bien répondre, il faut suivre attentivement le profil linguistique de la population, comme nous l'avons fait pour le Québec aux chapitres 4 et 13. Cela implique, entre autres, de ne pas tenir compte uniquement des Canadiens recensés mais aussi des estimations de Statistique Canada portant sur le nombre et la langue maternelle des personnes qui n'ont pas répondu aux deux recensements en cause.

Ces précautions prises, on constate que le poids des francophones, langue maternelle, au Canada a glissé de 22,6 % en 2001 à 21,6 % en 2006. Ce recul d'un point de pourcentage en 5 ans est le plus rapide depuis que l'on recueille l'information sur la langue maternelle.

Recul record, donc, qui accentue une tendance à la baisse solidement engagée depuis la Seconde Guerre mondiale. Tendance qui, au total, a fait perdre à la population francophone 7,5 points de son poids dans le Canada. Les francophones comptaient pour 29 % de la population en 1951.

Par contre, la majorité anglophone maintient son poids. Elle représentait 59 % de la population du Canada en 1951, et 58 % en 2006.

Notre graphique le montre clairement : la dualité canadienne est en train de prendre le bord pour de bon.

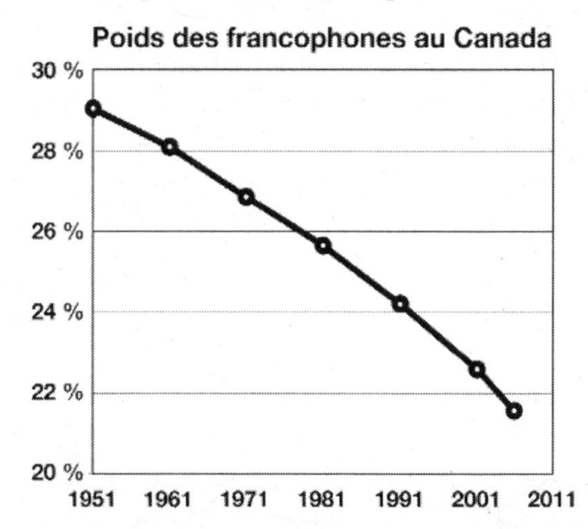

La même tendance sévit quant à la langue d'usage à la maison. Depuis que le recensement fournit cette information, le poids de la population de langue d'usage française a perdu près de 5 points, passant de 25,7 à 21 % de la population du Canada entre 1971 et 2006. En revanche, la population de langue d'usage anglaise comptait pour 67 % en 1971 comme en 2006.

L'assimilation linguistique explique pourquoi, au Canada, le poids du français, langue d'usage, demeure toujours inférieur à celui du français, langue maternelle, alors que l'inverse est vrai pour l'anglais. Nous y reviendrons.

En chiffres réels, la population canadienne a augmenté d'un million et demi de personnes entre 2001 et 2006. Au cours de ces 5 années, la population anglophone a augmenté de plus d'un demi-million.

La population francophone, elle, n'a augmenté que de 10 000. Aussi bien dire zéro. Une autre première.

Quant aux allophones, ils ont augmenté de près d'un million. Aujourd'hui, à un an du recensement de 2011, la population allophone du Canada a sans doute dépassé en importance la population francophone. Encore une première.

Comment se fait-il qu'en chiffres réels, l'effectif anglophone pète le feu pendant que l'effectif francophone se trouve au bord du déclin ? Comment se fait-il qu'en chiffres relatifs, la majorité anglophone maintient son poids, tandis que le poids de la minorité francophone fond à vue d'œil ?

Serait-ce dû à la fécondité ? Pas vraiment. Fécondité anglophone et fécondité francophone se collent de près depuis la Seconde Guerre mondiale.

Serait-ce à cause de l'immigration allophone ? Encore moins. L'arrivée de forts contingents d'allophones devrait abaisser le poids de la majorité anglophone de plus de points que celui de la minorité francophone. Or, rien de tel ne s'est produit.

Non. C'est plutôt l'assimilation qui fait la différence.

Bon an mal an, le recensement compte au Canada, et notamment au Québec, un certain nombre d'anglophones francisés, c'est-à-dire qui déclarent parler le français comme langue d'usage à la maison. Cependant, le nombre de francophones qui se déclarent anglicisés est plus élevé, même au Québec. En chiffres ronds, cela se soldait en 2006 par un nombre net de 400 000 francophones anglicisés dans l'ensemble du Canada, dont 10 000 au Québec.

Cette anglicisation se répercute doublement sur le rapport de force entre anglophones et francophones au Canada. Les francophones anglicisés font normalement des enfants anglophones. Le remplacement des générations francophones en pâtit alors que celui des générations anglophones en profite.

D'une pierre deux coups, donc. Cette anglicisation mine le poids des francophones et, à la fois, contribue à maintenir celui des anglophones.

En même temps, le Canada comptait en 2006, toujours en chiffres ronds, un total net de 2,4 millions d'allophones anglicisés, en regard de seulement 200 000 francisés – qui se trouvaient presque tous au Québec. Par conséquent, l'assimilation des allophones contribue 12 fois plus d'enfants au remplacement des générations anglophones qu'à celui des générations francophones.

Pour le français, ses maigres gains parmi la population allophone, qui se réalisent surtout au Québec, comblent à peine la moitié de ses pertes dues à l'anglicisation des francophones, qui se produisent surtout dans le reste du Canada.

Calculons, pour voir. Au total, le gain net de l'anglais au Canada par voie d'assimilation s'élève à 2,8 millions de nouveaux locuteurs usuels (2,4 millions d'allophones anglicisés, plus 400 000 francophones anglicisés). C'est du monde à la messe ! Cela suffit pour compenser à peu près entièrement la sous-fécondité anglophone.

Le français, lui, essuie au total une perte nette de 200 000 (200 000 allophones francisés, moins 400 000 francophones anglicisés). Ce qui creuse le déficit entre les générations francophones.

De façon globale, l'assimilation produit un déplacement de 3 millions de locuteurs – gain de 2,8 millions pour l'anglais, perte de 200 000 pour le français – dans le rapport de force entre les deux langues.

Ainsi, c'est l'assimilation qui, pour l'essentiel, explique pourquoi la majorité anglophone se porte si bien au Canada et la minorité francophone, si mal.

La performance du français au Québec en matière d'assimilation demeure, dans cette optique, de la bien petite bière. Au vu de ce qui se passe à l'échelle du Canada, qu'on puisse encore hésiter à renforcer la loi 101 dépasse l'entendement.

L'assimilation a beau jouer le rôle clé dans le déséquilibre croissant entre l'anglais et le français au Canada, le mot même se trouve banni du livre de Statistique Canada et de Patrimoine canadien, *Les langues au Canada : recensement de 2001.* Dans la *novlangue* de cette publication, l'assimilation devient « *la tendance des enfants d'immigrants [et] des enfants nés de couples anglais-français à apprendre l'anglais comme langue maternelle* ». Comme si l'initiative en revenait à l'enfant, sans assimilation préalable des parents et, sans doute, avec l'intercession du Saint-Esprit.

Que l'assimilation gonfle de 3 millions le rapport de l'anglais au français indiffère également Josée Boileau du *Devoir*. En éditorial, elle a jugé « *déplacées* » les préoccupations quant à la langue parlée à la maison.

« *L'État, pour reprendre l'expression célèbre, n'a pas plus à faire dans la cuisine ou le salon que dans la chambre à coucher* », a-t-elle décrété.

Pareilles œillères expliquent peut-être pourquoi *Le Devoir* ne publie plus rien au sujet de l'assimilation. Boileau sait-elle que si le recensement pose une question sur la langue d'usage à la maison, c'est suite aux recommandations, entre autres, de l'ONU et... d'André Laurendeau ?

En rabattant le couvercle sur l'assimilation, au moins les organismes fédéraux ont-ils l'excuse de devoir faire leur part dans la croisade pour l'unité canadienne et, par conséquent, de devoir rassurer quant à l'avenir du français.

Là aussi, cependant, la démarche est vraiment trop grosse. Dans le livre cité ci-dessus, Réjean Lachapelle, grand pontife des données linguistiques à Statistique Canada, glisse sur l'effet de l'anglicisation : « *Au cours du XXe siècle, [...] la dualité linguistique canadienne a persisté. Les deux groupes ethniques majeurs, le français et le britannique, représentaient près de 90 % de la population du Canada en 1901; en*

2001, environ 90 % de la population y parle le plus souvent à la maison le français ou l'anglais. »

Ce qu'il ne dit pas, c'est que les groupes français et britannique comptaient respectivement pour 30 et 60 % de la population du Canada en 1901 alors qu'en 2001, 22 % de la population y parlait le plus souvent à la maison le français mais 67 %, l'anglais. C'est que depuis le milieu du XXe siècle, comme nous l'avons vu, la dualité canadienne fout le camp.

La majorité anglophone du Canada, au moyen de sa constitution, de sa charte des droits, de sa Cour de Pise et de l'assimilation, est en train de pousser la minorité francophone vers l'insignifiance.

l'aut'journal, n° 289,
mai 2010

Chapitre 17

Changer le pays ou changer de pays

Faites un petit exercice. À l'aide du graphique au chapitre précédent, estimez le poids des francophones au Canada en 2031. Selon que vous serez optimiste ou pessimiste, votre réponse variera entre 18 et 15 %. Puis, demandez-vous quelle importance les Canadiens accorderont alors au français.

Un redressement s'impose de toute urgence. De deux choses l'une. Ou bien on change le pays ou bien on change de pays.

Bien entendu, à condition qu'on veuille maintenir une société de langue française viable. Dans son étude sur l'anglicisation de Montréal, Pierre Curzi a dit juste : « *La vraie question est de savoir si la volonté d'agir est là* ».

Ne nous faisons pas d'illusion. On n'y parviendra pas seulement en renforçant la loi 101.

Certes, une *Charte de la langue française* rapaillée exercerait dans l'immédiat un effet bénéfique sur la situation au Québec. Cela apporterait aussi quelque répit à une dualité linguistique canadienne en déroute. Mais l'expérience des dernières décennies est concluante : le Québec ne peut réussir seul à stabiliser la situation du français à Montréal et, encore moins, au Canada. Ottawa doit faire sa part et appuyer le statut du français, langue commune du Québec, au lieu de le saboter.

Quand deux langues cohabitent de façon intime sur un même territoire, la plus faible des deux est vouée à disparaître. C'est une loi fondamentale des langues en contact.

Or depuis 1969, le Canada de Trudeau poursuit une politique de libre-échange linguistique fondée sur les droits et le libre choix individuels, au lieu d'une politique territoriale selon laquelle les langues font chambre à part sur des territoires distincts.

Le Québec de Robert Bourassa a réagi au choix imposé par Trudeau en adoptant une politique territoriale. La loi 22 sacrait le français seule langue officielle du Québec. La loi 101 a voulu pousser plus loin en proclamant, par exemple, le français unique langue des lois, unique langue de l'affichage commercial et unique langue d'enseignement pour les enfants de migrants en provenance du reste du Canada.

Quoi qu'en disent les Jack Jedwab de ce monde, cette dernière disposition, connue comme la « *clause Québec* » de la loi 101, n'était pas un mur de Berlin. C'était un filtre. Le Québec accueillait volontiers des migrants des autres provinces à condition qu'ils veuillent bien de l'école française pour leurs enfants. Il s'agissait en particulier d'une mesure de légitime défense du caractère français de la région Gatineau-Hull, en réponse à la mainmise musclée de la « *Région de la capitale nationale* », c'est-à-dire d'Ottawa, sur la rive québécoise de l'Outaouais.

Le Québec voulait ainsi appliquer une maxime qui respire la sagesse : *Good fences make good neighbours.* En effet, de bonnes clôtures font de bons voisins. Le Canada de Trudeau a refusé tout ça. Il a rejeté le principe territorial façon loi 101 et a imposé de nouveau au Québec une cohabitation intime forcée, notamment en abolissant la clause Québec par sa charte canadienne des droits.

Comme manifestation plus récente de ce refus, il y a le rejet par la Chambre des communes du projet de loi du Bloc québécois proposant d'étendre les dispositions de la loi 101 sur la langue de travail aux entreprises de compétence fédérale au Québec. La décision tordue de la Cour suprême touchant les écoles passerelles en est un autre exemple.

Qu'on ne s'y trompe pas. À terme, les trudeauistes visent le régime scolaire de la loi 101 qui, à leurs yeux, pêche encore dans sa forme actuelle par excès de territorialité. Dans leur décision, les juges de la Cour de Pise laissent dépasser leur jupon rouge. Ils écrivent que l'alinéa 23(1)a) de la *Charte canadienne des droits et libertés,* qui reconnaît le libre choix d'école pour les enfants de citoyens québécois de langue maternelle anglaise, « *ne s'applique toutefois pas pour l'instant au Québec* ».

« *Pas pour l'instant.* » L'intention ultime est claire. Même si l'actuel régime scolaire du Québec est infiniment plus accommodant que les régimes territoriaux en vigueur dans les régions linguistiquement distinctes d'autres pays bilingues ou multilingues comme la Belgique ou la Suisse, les trudeauistes attendent leur heure. Lorsque la majorité francophone du Québec sera suffisamment affaiblie, ils pourront enfin faire approuver par l'Assemblée nationale le retour via l'alinéa 23(1)a) à un régime scolaire bordélique semblable à celui de la loi 22.

C'est congénital. Le Canada actuel est incapable d'appuyer et de promouvoir une politique territoriale se rapprochant, pour le Québec, de la loi 101 originelle.

Impensable. Car les fédéralistes, dans leur très grande majorité, carburent à la doctrine Trudeau selon laquelle une politique linguistique territoriale conduirait nécessairement à l'indépendance du Québec. Trudeau prêchait qu'accepter une telle politique signerait la mort du Canada.

La réponse canadienne à la question de Pierre Curzi est donc viscérale. Ottawa n'a pas la moindre volonté de réorienter sa politique linguistique dans le sens territorial.

Pourtant, sait-on jamais ?

Aux alentours du référendum de 1980, un sondage avait demandé si les immigrants au Québec devaient apprendre le français. La réponse a été aussi claire que la question : 89 % des Québécois avaient répondu oui. Non seulement la quasi-totalité des francophones étaient d'accord là-dessus mais bon nombre d'anglophones et d'allophones aussi.

Devant la confusion et la crainte qui entouraient alors l'objectif d'indépendance, ça aurait été plaisant de tenir un référendum gagné d'avance sur cette question : « *Êtes-vous d'accord que tout candidat à la citoyenneté canadienne domicilié au Québec soit tenu de faire preuve d'une connaissance suffisante du français ?* »

Il s'agirait au minimum d'un niveau de compétence qui permettrait aux futurs citoyens de suivre en direct les enjeux de l'heure et les débats en cours parmi la majorité francophone de façon à exercer leur devoir de citoyen en toute connaissance de cause, sans demeurer captifs des seuls médias anglophones ou allophones.

Modifier ainsi la loi canadienne sur la citoyenneté constitue le point de départ obligé d'un réalignement de la politique d'Ottawa dans un sens territorial. Il faudrait évidemment exiger une connaissance équivalente de l'anglais de tout candidat à la citoyenneté domicilié à Toronto…

Qui oserait s'opposer à une proposition aussi raisonnable et populaire ? Charest ? Harper ? Ignatieff ?

Parlons franc. À chaque fois qu'Ottawa accorde le droit de vote à un immigrant au Québec qui ne connaît que l'anglais, c'est une claque en pleine face pour le Québec français et les Québécois francophones.

L'été du décès du Frère Untel, Jacques Godbout avait avancé l'idée d'apporter une semblable orientation territoriale à la loi sur la citoyenneté. Que nos politiques s'y mettent, enfin !

Au lieu de dire que la reconnaissance du Québec comme nation était un gain, Gilles Duceppe aurait dû mettre Harper au défi de passer de la parole aux actes en modifiant en conséquence la loi sur la citoyenneté. Le français n'est-il pas le premier marqueur de l'identité québécoise ?

L'obligation de jurer allégeance à la reine en français comporterait pour un immigrant une puissante charge symbolique. Cela équivaudrait à reconnaître qu'il n'y a pas deux langues communes au Québec, l'anglais ou le français, au choix, mais une seule. Cela frapperait l'imagination de tous et chacun.

Mettons donc pour une fois les fédéralistes sur la défensive. Le Québec ne peut y perdre. Si Ottawa accepte de modifier en ce sens sa loi sur la citoyenneté, c'est gagné pour le français au Québec – et au Canada. S'il refuse, c'est un argument de poids en faveur de l'indépendance.

Duceppe a raté une autre belle occasion quand Mulcair a voulu limiter les dégâts causés par la décision de la Cour de Pise sur la loi 104, avec sa motion reconnaissant au Québec le droit d'imposer aux immigrants l'apprentissage du français « *d'abord et avant tout* ». Jason Kenney, ministre canadien de la Citoyenneté et de l'Immigration, a renchéri : « *Le français, c'est la langue du Québec,* a-t-il dit. *Il faut que les immigrants apprennent une des langues officielles du Canada. [...] Au Québec, c'est la langue française.* »

Duceppe aurait dû aussitôt répondre : « *Parfait ! Réformez votre loi sur la citoyenneté !* »

Que Pauline Marois propose donc à l'Assemblée nationale d'adopter à l'unanimité une motion demandant à Ottawa de modifier en faveur du français, langue commune, sa loi sur la citoyenneté. Charest ne pourra pas se défiler.

Si Ottawa répond non, l'option sera d'autant plus évidente. On change de pays. On libère le Québec des rapetisseurs de peuple.

l'aut'journal, n° 290,
juin 2010

TABLE DES MATIÈRES

Cet ouvrage composé
en Century Schoolbook 12 pts
a été achevé d'imprimer
sur les presses
des Imprimeries Transcontinental
en décembre deux mille dix